LES CAHIERS **DE SOINS**

palliatifs

D0263462

S o i n s   p a l l i a t i f s
SOIGNER

Volume 1
Numéro 2

LES PUBLICATIONS DU QUÉBEC

Les Cahiers de soins palliatifs vol. 1 no. 2 ont été élaborés
à l'initiative et sous la supervision de La Maison Michel Sarrazin
2101, chemin Saint-Louis
Sillery (Québec)
G1T 1P5
Téléphone: (418) 688-0878
Télécopieur: (418) 681-8636
Courriel: soins@lmms.qc.ca

Secrétariat et administration
La Maison Michel Sarrazin

Cette publication a été éditée et produite par
Les Publications du Québec
1500 D, rue Jean-Talon Nord, 1er étage
Sainte-Foy (Québec)
G1N 2E5

Coordination du projet
Michel R. Poulin

Conception graphique de la couverture et de la mise en page
Lucie Pouliot

Dépôt légal – 2000
Bibliothèque nationale du Québec
Bibliothèque nationale du Canada
ISBN 2-551-19336-2
ISSN 1490-5191
©Gouvernement du Québec

LES CAHIERS **DE SOINS**
palliatifs

LES PUBLICATIONS DU QUÉBEC
1500 D, rue Jean-Talon Nord, Sainte-Foy (Québec) G1N 2E5

VENTE ET DISTRIBUTION
Case postale 1005, Québec (Québec) G1K 7B5
Téléphone : (418) 643-5150, sans frais, 1 800 463-2100
Télécopieur : (418) 643-6177, sans frais, 1 800 561-3479
Internet : http://doc.gouv.qc.ca

P o l i t i q u e é d i t o r i a l e

La Maison Michel Sarrazin s'associe à des personnes engagées en soins palliatifs pour publier ces Cahiers. Carrefour de réflexion critique et de recherche, ils
mettent à contribution divers intervenants en soins palliatifs, dans une perspective interdisciplinaire. Ces Cahiers s'adressent aux personnes désirant approfondir une réflexion à propos des soins palliatifs ou des questions touchant le
mourir. Ils proposent différents types de textes, notamment : réflexions critiques,
comptes rendus de recherches, témoignages, recensions, entrevues. Tous les
textes sont soumis à l'attention d'un comité de lecture. La décision finale de
publication revient au Comité éditorial. Les opinions émises dans les articles
n'engagent que leurs auteurs.

Table des matières

Soins palliatifs SOIGNER

Christiane Savard, infirmière clinicienne • Responsable du
programme de soins palliatifs • Hôpital Laval • Sainte-Foy • Québec •
Téléphone : (418) 656-8711, poste 5295 •
Courriel : christiane.savard@ssss.gouv.qc.ca

ÉDITORIAL

Christiane Savard, infirmière

TOUTE DOULEUR DÉCHIRE ; MAIS CE QUI LA REND INSUPPORTABLE, C'EST QUE CELUI QUI LA SUBIT SE SENT SÉPARÉ DU MONDE ; PARTAGÉE, ELLE CESSE AU moins d'être un exil.

Simone de Beauvoir

Tout compte fait

« Soigner est art et science » nous claironnait-on durant nos études d'infirmières. Nous étions alors bien jeunes pour comprendre tout le sens de cette assertion. La maturité et les expériences de vie aidant, nous saisissons mieux cette indissociable union : l'art, pour tout ce que le soin requiert de créatif et d'intuitif ; la science, pour toute la connaissance et la précision dans l'agir.

Soigner est un privilège que l'autre autorise. Le malade que nous approchons, ce « sujet de soin », attend accueil et réconfort pour son corps débilité par la maladie et pour son âme souffrante. Sa vulnérabilité commande le respect. Toute la science du monde ne saurait à elle seule faire éclore cette rencontre de deux êtres mortels – soigné, soignant – le premier sachant sa fin proche, le second l'ignorant encore, pour un temps…

Soigner est un acte de réciprocité : une rencontre unique, dans des gestes et des regards où le temps est suspendu, science de l'un et sagesse de l'autre dans une mutualité consentie.

Qu'ils soient philosophes, bénévoles, praticiens ou chercheurs, les auteurs des articles de ce deuxième cahier de soins palliatifs ont voulu témoigner de leur engagement et de leur apport contributif à mieux soigner celui qui meurt.

Il y aura toujours les tendances de notre monde moderne, les courants de pensée actuels, les questionnements de l'heure et les dérives possibles vers la tentation de soigner en s'acharnant ou en abrégeant la durée de la vie.

Dans l'expression « prendre soin » peut se cacher une tendance à s'approprier le malade.

L'enjeu du soin n'est-il pas de conserver liés la pensée scientifique et l'humanisme au profit d'un malade tributaire de ses propres choix ?

Claude Lamontagne, M.D., c.c. m.f., f.c. m.f. •
Médecin, La Maison Michel Sarrazin, Sillery, Québec •
Professeur, Département de médecine familiale, Université Laval •
Tél. (418) 688-0878 • Télécopieur (418) 681-8636 •
Courriel : claude.lamontagne@videotron.ca

Les soins palliatifs au Québec : principes fondamentaux et dérives

Claude Lamontagne, M.D.

Introduction

Les soins palliatifs contemporains datent d'un peu plus de trente ans. Ils ont été créés à partir du douloureux constat que plusieurs besoins des mourants n'étaient pas satisfaits. Ils ont été instaurés par des pionniers convaincus et généreux. Dès le départ, ces pionniers ont formulé un certain nombre de valeurs, d'orientations et de principes fondamentaux. Ils ont été inspirés par leur propre conception des besoins et des soins nécessaires et aussi par plusieurs facteurs extrinsèques qui ont teinté l'approche des soins palliatifs. Depuis ce temps, des changements ont marqué l'évolution des soins palliatifs. S'agit-il de dérives à partir des principes fondamentaux ?

Constats de départ

Au milieu du xxᵉ siècle, la mort était cachée. On mourait à l'hôpital ou dans d'autres institutions dans 80 à 90 % des cas. Même à l'hôpital, quand venait le temps de mourir, on plaçait le malade dans une chambre seule désignée à cet effet. On retrouvait aussi cette occultation de la mort dans le langage. On ne disait plus : Il est mort. On disait : Il est parti, il a cessé de respirer, son cœur s'est arrêté, ou bien (quel beau pléonasme) il s'est endormi durant son sommeil. Cette mort cachée se situait dans un contexte de négation ; on la cachait pour mieux la nier ; on la niait parce qu'on en avait peur ; on la niait en cultivant l'illusion d'être immortel ; on la niait parce qu'un certain vide spirituel était en train de s'installer dans notre société, on niait cette mort qui devenait l'antithèse des nouvelles valeurs de l'époque : la performance, la force, la beauté physique, l'avoir, etc. Quand on niait la mort, quand on cachait la mort, on l'entourait de silence. On cachait les diagnostics graves au patient, on ne les disait qu'aux familles. On prenait des décisions pour eux. On disait vouloir les protéger.

Vers 1960, la médecine devint de plus en plus spécialisée, la haute technologie s'installait ; ce fut le début des réanimations cardiorespiratoires et des greffes d'organes. On était dans l'approche biologique à outrance. On enseignait à traiter des maladies. La médecine spécialisée et hautement technologique traitait des maladies, et non des malades. Elle trouvait sa complaisance et sa toute puissance dans la prolongation de la vie, on luttait contre la mort comme si elle était une maladie à guérir, on pratiquait l'acharnement thérapeutique. Alors que la religion permettait aux malades de mourir, la médecine leur imposait un nouveau devoir : celui de vivre à tout prix.

Le mourant devenait de plus en plus dérangeant parce qu'il confrontait la médecine à une impuissance qu'elle ne voulait plus voir, ni montrer ni ressentir. On traitait sa maladie jusqu'à la fin, mais on oubliait ses symptômes ; on le privait de morphine parce qu'on avait peur qu'il meure plus vite. À cette époque, la douleur cancéreuse était soulagée dans 50 à 70 % des cas, et seulement un tiers des patients nauséeux recevaient un antiémétique. Mourant souffrant et mourant isolé. Isolé parce qu'on était mal à l'aise de venir le voir, autant les médecins que les membres de la famille. On ne parlait pas de la mort avec le patient, on ne s'informait pas de la façon dont il vivait cela. Et lui, comment pouvait-il partager des choses difficiles avec ceux qui étaient alors incapables de lui en dire ? Il se taisait…

C'est à partir de ces constatations douloureuses qu'une personne inspirée comme Cicely Saunders fonda, en 1967, le premier centre de soins palliatifs contemporain, le Saint-Christopher Hospice de Londres. Elle appela ce centre un « hospice » dans l'esprit des « hospices » du Moyen-Âge, des auberges qui accueillaient les pèlerins qui s'y reposaient et se préparaient à mieux poursuivre leur pèlerinage. C'est aussi Cicely Saunders qui a élaboré le concept de souffrance globale, qu'elle a appelé le « total pain ». En plus de fonder un hospice, elle a amorcé un mouvement, le mouvement des soins palliatifs, qui s'est rapidement étendu au

Canada et au Québec avec le travail des Balfour Mount, Maurice Falardeau, Pierrette Lambert, Louis Dionne et Jean-Louis Bonenfant, pour ne nommer que ceux-là.

Facteurs extrinsèques

De nombreux changements sont intervenus dans le monde de la santé depuis 30 ans ; certains ont influencé favorablement les soins palliatifs et ont permis leur réalisation ou l'épanouissement de la philosophie qui avait été esquissée dès le départ.

Le premier changement que je veux signaler est celui de l'évolution du principe d'autonomie et du droit à la vérité dans notre société nord-américaine. La tradition hippocratique nous avait maintenus dans un paternalisme qui faisait qu'au nom du bien du patient ce dernier était privé d'informations sur sa maladie et son évolution, privé aussi de sa capacité de décider pour tout ce qui le concernait. C'est ainsi que, lors du diagnostic d'une maladie grave, on taisait la vérité, on décidait avec la famille ou entre médecins. Le droit à l'autonomie et le droit à la vérité ont connu en Amérique du Nord une évolution considérable depuis 30 ans. On peut invoquer de multiples raisons : tant les chartes que le mouvement féministe, tant la loi qu'une attitude défensive de la médecine. Cela nous a amenés à dire les diagnostics, à expliquer et à négocier les traitements avec les patients, à les informer des nouvelles étapes de leur maladie, à discuter de niveaux de soins et à parler de la mort quand ils le désirent. Cette évolution a favorisé les soins palliatifs.

Un deuxième changement a été l'avènement de la formation spécifique en médecine familiale au Québec, optionnelle à partir de 1971 et obligatoire à partir de 1988. Durant la formation des futurs médecins de famille, on enseigne trois approches bien importantes qui font partie des fondements de la médecine familiale, mais aussi de ceux des soins palliatifs. À l'approche biologique des années 60, la médecine familiale a apporté ce changement qu'est l'approche bio-psychosociale, et les soins palliatifs ont ajouté la dimension spirituelle, cette approche de la personne dans toutes ses dimensions, tant sur le plan des causes que sur celui des conséquences, qui nous aide à mieux comprendre cet individu dans toute sa souffrance et qui fait qu'on le traite comme personne et non comme maladie. Puis il y a l'approche systémique qui est tout aussi importante pour les soins palliatifs, puisque ceux-ci ont comme philosophie de voir le patient et ses proches comme une entité de soins, de voir le patient comme partie d'un système et de sous-systèmes avec des rôles spécifiques, un mode de fonctionnement particulier et répondant à des règles qui leur sont propres. Finalement, il y a l'approche centrée sur le patient qui fait qu'on le traite comme une personne unique, prenant en compte ses idées, ses émotions, ses attentes et l'impact particulier de sa maladie sur sa vie. Ces trois approches de la médecine familiale sont fondamentales pour les soins palliatifs. Ces approches sont également enseignées dans d'autres professions de la santé.

Un autre changement s'est produit en ce qui concerne le travail d'équipe dans le monde de la santé, dans différents champs d'exercice des soins. On peut en nommer quelques-uns : la gériatrie, la médecine familiale, les soins à domicile, certains autres programmes des centres locaux de services communautaires (CLSC), les soins palliatifs. Nous connaissions bien la multidisciplinarité où plusieurs disciplines, intervenant auprès du même patient dans un statut le plus souvent de consultant sur demande, agissent

sur une petite partie du patient, indépendamment de l'action des autres intervenants. Beaucoup d'équipes ont évolué ou tendent vers l'interdisciplinarité, ce qui nécessite beaucoup plus d'interdépendance, d'interrelations et de communication.

Signalons enfin un dernier changement : l'élargissement de la définition des soins palliatifs. Au début et pendant plusieurs années, on a défini les soins palliatifs comme ceux donnés aux malades en phase terminale de maladie chronique (presque uniquement le cancer), et dont la mort était prévisible dans un temps court (quelques semaines). Le sida n'existait pas encore, et certaines unités accueillaient tout au plus quelques patients atteints de maladies neurologiques telles que la sclérose latérale amyotrophique, en plus des malades cancéreux. Les soins palliatifs se résumaient aux soins terminaux des patients cancéreux. Par la suite, ce sont surtout les équipes de consultation dans les hôpitaux qui ont élargi la pratique des soins palliatifs en contribuant à soigner des patients non mourants et atteints de toute maladie chronique à un stade avancé. Au Québec, l'équipe du CHU de Sherbrooke a été un bel exemple de ce mouvement. Tout cela fait en sorte que la dernière définition officielle de l'Association canadienne de soins palliatifs[1], qui date de septembre 1998, se formule comme suit : « les soins palliatifs visent à soulager les souffrances et à améliorer la qualité de vie des personnes qui sont à un stade avancé de leur maladie, de celles qui sont en fin de vie, et de celles qui vivent un deuil. » Les soins palliatifs concernent donc les stades avancé et terminal de toute maladie.

Philosophie des soins palliatifs

Examinons maintenant ce qu'a été la philosophie des soins palliatifs dès le départ, celle promue par les pionniers et acceptée par la majorité d'entre nous qui faisons des soins palliatifs au Québec. Je me permets d'utiliser le rapport du comité des normes de pratique de l'Association québécoise de soins palliatifs[2] présenté à l'été 1999. Dans ce rapport, la philosophie des soins palliatifs est exprimée en valeurs, orientations et principes fondamentaux.

Nous reconnaissons d'abord la valeur intrinsèque de chaque personne, comme individu unique. Cela veut dire que nous devons reconnaître l'égalité des personnes sans aucune discrimination et peu importe leur état physique, leurs déficits cognitifs ou leur état de conscience. Et chaque personne est un individu unique avec ses propres besoins, ses désirs, ses modes d'expression, sa propre histoire de vie et ses façons de s'adapter, un individu unique avec ses valeurs, ses croyances et sa propre recherche de sens.

Nous reconnaissons la très grande valeur de la vie et le caractère naturel de la mort. Le but des soins palliatifs n'est pas de prolonger la vie et le mourir, d'allonger sa durée, de lutter indûment contre la mort. Il n'est pas non plus de l'abréger. Les soins palliatifs ont un préjugé favorable à l'égard de la vie, ils tentent de favoriser la vie, de répondre aux besoins fondamentaux de l'être en vie, c'est-à-dire de lui donner un confort physique, de l'accompagner dans ses besoins d'aimer et d'être aimé, de le soutenir et de le valoriser dans son potentiel de réalisation, de l'accompagner dans sa recherche de sens.

C'est ainsi que nous reconnaissons la qualité de vie, telle que définie par la personne concernée, comme l'élément moteur des soins. Les soins visent à favoriser la qualité de vie, c'est le grand but des soins palliatifs. Par le soulagement des symptômes et par l'accompagnement, nous tentons de répondre aux besoins de toutes natures (physique, psychologique, socio-familiale et spirituelle). Le soulagement des symptômes est important, non seulement pour apporter le confort physique, mais aussi pour rendre la personne plus ouverte à ses autres dimensions. Le soulagement des symptômes demande principalement des connaissances scientifiques et techniques pour offrir des soins et des traitements efficaces. Nous sommes dans l'ordre des moyens techniques et des médicaments, bien que cela nécessite aussi une approche globale du malade, les symptômes physiques étant, nous le savons, influencés et vécus dans un contexte de souffrance globale, avec une dimension affective certaine. Toutefois, accompagner les personnes dans leur souffrance morale est d'un autre ordre. Les connaissances et les habiletés techniques inhérentes à la compétence professionnelle ne sont pas les éléments premiers d'un bon accompagnement et ne rendent personne spécialiste quant à la souffrance de l'autre. Nous sommes dans l'ordre d'une certaine sagesse pratique, d'un discernement, d'une ouverture à l'autre, d'un respect, d'une compassion, d'une communion à

la souffrance d'un malade ou d'un proche. Quand j'affirme cela, il est bien sûr que je distingue l'accompagnement de la psychothérapie et aussi de l'intervention spécialisée parfois nécessaire en situation de crise.

Nous reconnaissons aussi la dignité de chaque personne et son droit d'être soulagée, d'être respectée dans son identité, son intégrité, son intimité et son autonomie. Ce respect de l'autonomie des personnes que nous soignons implique trois autres droits bien importants : le droit de choisir, le droit d'être informé et le droit à la confidentialité. Le droit de choisir impose que les décisions soient prises par le patient et que les proches ou les intervenants collaborent à la prise de décision uniquement selon le degré de participation que le patient veut bien leur accorder. Il a le droit de choisir ses intervenants, ses soins et traitements, son milieu de soins. Il est bien entendu que son droit de choisir est parfois réduit à cause des limites du système de soins, à cause des limites des proches. Le droit d'être informé est tout aussi important, et il ne doit pas être uniquement une obligation juridique reliée au consentement éclairé. Le partage d'informations avec le patient est l'expression manifeste de son respect comme personne autonome, responsable d'elle-même, intelligente et capable de comprendre, ayant des forces lui permettant de s'adapter dans un contexte de maladie, de souffrance et de mort. Enfin, il y a le droit à la confidentialité, probablement un des plus bafoués dans nos milieux de soins, mais combien important pour le respect des personnes et de leur intimité, pour la relation de confiance entre le soigné et le soignant.

Nous reconnaissons le droit à l'accessibilité des soins palliatifs à toute la population, sans aucune discrimination. En 1997, un sondage réalisé auprès de Canadiens et Canadiennes à l'échelle fédérale par le groupe Angus Reid révélait que seulement un Canadien sur cinq, aux prises avec une maladie terminale, recevait des soins palliatifs. Où en sommes-nous maintenant ?

Toutes les définitions des soins palliatifs, depuis leur origine, *reconnaissent comme essentiel d'offrir les soins et le soutien tant aux patients qu'à leurs proches.* Il est explicite que l'on ne souhaite pas uniquement une approche systémique dans la compréhension du patient, mais que le patient et ses proches sont tous objets de soins et de soutien. Même si les définitions ne le précisent pas, il est tout de même important d'affirmer la primauté du patient comme soigné et comme personne autonome qui conserve son droit à la décision et à la confidentialité, comme je l'ai écrit plus haut. Le patient est donc au premier plan, et il choisit qui sont ses proches. Toutefois, ce premier plan étant garanti, le soutien aux proches fait partie intégrante des soins palliatifs et se poursuit pendant la période de deuil afin de les aider à préserver leur équilibre et de faciliter l'intégration de la perte.

Nous reconnaissons l'interdisciplinarité comme moyen essentiel de répondre aux multiples besoins du patient et de ses proches. Parmi les éléments majeurs d'une saine interdisciplinarité au service du patient et de ses proches, nommons l'adhésion à une philosophie commune, la complémentarité des champs de compétence professionnelle et personnelle — et non la compétition et le pouvoir — l'interrelation et l'interdépendance, le partage d'informations et la concertation. Dans un récent article publié dans le premier numéro de la revue « Les Cahiers de soins palliatifs », Bernard Keating, un éthicien, utilise le terme « communauté de soins » pour décrire l'équipe inter-disciplinaire. Il écrit[3] : « L'idée de communauté implique en effet un engagement éminemment personnel au service d'un idéal commun. [...] L'idée de communauté connote également un engagement du cœur, une chaleur qui se diffuse, un lieu d'accueil plus familial qu'institutionnel. » C'est une belle description de l'interdisciplinarité.

Enfin, je souligne un dernier principe ; il y en a d'autres, mais celui-ci est parmi les plus importants. Il concerne l'obligation des gestionnaires et administrateurs de tout milieu de soins d'évaluer les besoins de soins palliatifs de leur clientèle. Ils ont aussi comme obligation de mettre en place des services pour répondre à ces besoins, en assurer le développement et la survie.

Voilà les valeurs et principes généralement admis comme les fondements des soins palliatifs.

Dérives

Parlons enfin des dérives. Le plus difficile est de définir ce mot dans le contexte des soins palliatifs. Le dictionnaire dit que c'est le fait de dériver sous l'action du vent ou du courant (mais on parle ici d'un bateau ou d'un avion). Et dériver,

c'est aussi s'écarter de sa direction. Les dérives résideraient donc dans le fait de s'écarter d'un principe initial reconnu comme fondamental aux soins palliatifs. Mais un fait, un geste isolé ne constituerait pas nécessairement une dérive. Ce serait lors de sa répétition chez un même individu, dans une équipe, dans une institution ou dans le monde des soins palliatifs que nous pourrions parler de dérive. Il y aurait donc des niveaux : on pourrait parler de dérive personnelle, institutionnelle, générale. Toutefois, est-ce que tous les changements par rapport à la philosophie de départ seraient une dérive ? Il peut y avoir des évolutions normales et souhaitables, j'en apporterai un exemple plus loin. Je n'ai pas l'intention de traiter de toutes les dérives actuelles et potentielles, je n'ai choisi que quelques exemples.

Il me semble qu'une première dérive possible se situe sur le plan de la définition même des soins palliatifs. Il y a eu depuis deux ans un exercice de consultation à travers le Canada, à partir d'un document de travail du comité des normes de pratique de l'Association canadienne de soins palliatifs[4], pour tenter de s'entendre à travers tout le pays sur la définition qui suit : « Les soins palliatifs, en tant que philosophie, allient les thérapies actives et de soutien moral en vue de soulager et d'aider le patient et sa famille qui font face à une maladie mortelle, et ce, pendant la maladie et le deuil. Les soins palliatifs s'efforcent de répondre aux attentes et aux besoins physiques, psychologiques, sociaux et spirituels du patient et de sa famille tout en demeurant sensibles à leurs valeurs, leurs croyances et leurs pratiques personnelles, culturelles et religieuses. Les soins palliatifs peuvent être dispensés conjointement à une thérapie visant à atténuer ou guérir une maladie, ou ils peuvent être les seuls soins dispensés. » Il y a un débat sur cette proposition de définition qui suggère que, dès qu'un patient est atteint de maladie chronique qui risque d'être mortelle un jour et qu'il présente des symptômes, une détresse ou une certaine dysfonction, le soutien et le soulagement dont il a besoin s'appellent des soins palliatifs ou en font partie. Quelqu'un présente ses premiers symptômes de diabète, il est angoissé à cause d'un récent diagnostic d'insuffisance cardiaque, il a besoin de soins palliatifs. Il faut se réjouir que des soins palliatifs soient offerts à des stades moins avancés

de la maladie. Cependant, devons-nous appeler soins palliatifs tout ce qui n'est pas traitement curatif ou préventif en nursing, médecine ou pharmacie ? Devons-nous appeler soins palliatifs tout accompagnement des travailleurs sociaux, des psychologues ou des accompagnateurs spirituels à chaque fois qu'une personne est au début d'une maladie chronique qui risque de la faire mourir un jour ? Comme si, pour pratiquer 80 % des soins, cela prenait des programmes de soins palliatifs, des équipes de soins palliatifs et, pourquoi pas, des experts en soins palliatifs. Il est certain que les principes et les approches de soins palliatifs sont applicables dans d'autres circonstances que les phases avancées des maladies, mais devons-nous les encadrer dans des programmes de soins palliatifs ? Une telle extension constitue-t-elle une recherche d'un plus grand pouvoir ? Pour moi, c'est une dérive possible.

Mon deuxième exemple de dérive possible touche l'éthique. Les soins aux personnes en phase avancée et terminale de maladie chronique nous confrontent actuellement à un certain nombre de questions d'ordre éthique. Nous sommes partis d'une situation de négation de la mort et d'une lutte à tout prix qui s'illustrait par l'acharnement thérapeutique. Les soins palliatifs se voulaient, entre autres, une réponse à cet acharnement thérapeutique : établir un niveau de soins qui n'avaient comme but que la qualité de vie par le soulagement des symptômes, sans vouloir prolonger ni abréger la vie. Toutefois, nous nous retrouvons avec des excès possibles, dont l'acharnement palliatif et l'euthanasie.

L'acharnement palliatif est une dérive qui existe. Nous avons vécu l'illusion que nous pouvions tout guérir, et, en soins palliatifs, nous vivons parfois l'illusion que nous pouvons tout soulager, tout changer, comme si nous pouvions régler le problème de toute souffrance par nos moyens techniques et nos interventions. C'est ainsi que nous nous retrouvons parfois avec des acharnements de tous ordres : une surmédication pour soulager tous les symptômes et toutes les souffrances, une intervention psychologique pour vouloir tout changer au lieu d'accompagner le malade dans ce qu'il est, une intervention pastorale pour convertir à des valeurs autres que celles du patient et lui garantir le bonheur éternel, amener le malade à mourir comme cela doit être, comme s'il y avait une mort idéale, c'est-à-dire celle que nous souhaitons avoir pour nous-mêmes. Voilà autant d'exemples d'acharnement palliatif. Il y a des risques de médicalisation et de technicisation à outrance, il y a des risques de professionnalisation de la souffrance, il y a des risques de prosélytisme déguisé en bonnes intentions. Que de dérives possibles !

Et quand on a perdu le pouvoir de guérir, qu'on n'a pas celui de tout soulager par des moyens proportionnés, se présente le pouvoir ultime de tout régler, l'euthanasie. Éviter l'excès en tout, c'est accepter l'impuissance. C'est peut-être cela la véritable compassion : rester présent malgré notre impuissance à tout soulager.

Une autre dérive peut se situer sur le plan de l'éthique. Nos patients de soins palliatifs sont très malades, faibles et vulnérables, ils ont besoin tant de leurs proches que des soignants, mais ils sont encore des personnes responsables d'elles-mêmes et de leurs décisions, à moins d'être totalement inaptes. Ne sommes-nous pas souvent portés à décider pour eux, nous-mêmes les soignants ou avec les proches, sans les consulter, pour une décision d'arrêt ou d'abstention de traitement, pour une prescription de corticostéroïdes à haute dose pour soulager un symptôme, mais qui risque de prolonger leur vie, ou pour une restriction de visiteurs demandée par la famille? Autant de dérives possibles, si on n'offre pas le choix aux patients.

La situation dont je vais traiter maintenant illustre bien la difficulté ou le non-sens de cataloguer tout changement comme une dérive. Prenons le principe selon lequel il est dit qu'on ne doit pas prolonger la vie, mais améliorer sa qualité. Il y a 15 ou 20 ans, quand les soins palliatifs au Québec étaient en majorité des soins terminaux, ce principe était observé de façon rigoureuse : pas de transfusions, pas de réhydratation intraveineuse, pas d'antibiotiques, pas d'anticoagulants, rien de ce qui pouvait risquer de prolonger la vie. Tout cela se faisait au nom d'un bon principe qui était à la base des soins palliatifs comme réponse à l'acharnement thérapeutique. Les soins palliatifs se prodiguaient alors dans des unités de soins palliatifs et des maisons de soins palliatifs où l'admission était conditionnelle à un pronostic de vie de moins de deux mois et le séjour prolongé non souhaitable. Il y avait possibilité d'un certain conflit d'intérêts, où risquer de prolonger la vie devenait incompatible avec le critère rigide d'un pronostic de vie de moins de deux mois. Les années ont passé, et nous nous sommes rendu compte que de bons soins palliatifs visant le soulagement et certains des traitements qui y sont associés produisent comme effets secondaires ou directs une prolongation de la vie. Des patients bien soulagés de leurs symptômes recommencent à vivre, à s'alimenter, à bien dormir. Voilà quelques exemples de traitements administrés dans un but de soulager, qui peuvent en même temps prolonger la vie : l'utilisation des corticostéroïdes, l'administration précoce et continue d'octréotide dans la subocclusion intestinale, l'héparine à bas poids moléculaire. De bons soins palliatifs peuvent prolonger la vie. Est-ce une dérive? Devrions-nous priver les patients d'un soulagement de leurs symptômes pour qu'ils vivent moins longtemps, au nom d'un principe? Cependant, il y a un autre principe, la qualité de vie. Donc, un principe peut avoir préséance sur l'autre, sans que ce soit une dérive. Les patients sont devenus plus autonomes et plus engagés dans les décisions qui les concernent. Les soins palliatifs se sont élargis à des phases avancées moins terminales et à d'autres maladies que le cancer. Nous avons donc maintenant un grand nombre de patients relativement autonomes, avec une espérance de vie plus longue et un espoir que cela dure le plus longtemps possible. Ils exigent que leurs complications soient traitées. Ils exigent des chimiothérapies palliatives. Ils exigent des transfusions sanguines, des traitements aux biphosphonates, etc. Appelons-nous cela des dérives ? Ou bien est-ce le résultat d'une évolution des soins palliatifs, du désir des patients et du respect de leur ambivalence et de leur refus de mourir ? Peut-être abusons-nous parfois du concept du traitement futile ? Faute d'une définition objective opérationnelle, nous portons un jugement de valeur pour déclarer un traitement futile. Mais futile pour qui ? Pour nous ou pour le patient ? En éthique, c'est rarement blanc ou noir, l'espace de réflexion est plein de gris.

Le dernier point que je veux aborder est-il une dérive ? Ici, on ne dérive pas à partir de la bonne direction, puisqu'on ne l'a jamais suivie, mais on dérive tellement qu'il sera difficile d'atteindre un jour la bonne direction. Il s'agit du principe d'accessibilité aux soins palliatifs et de la situation actuelle des soins au Québec. L'organisation actuelle des soins palliatifs est d'abord marquée par une augmentation de la demande, dont une des causes est le vieillissement de la population qui se traduit par l'augmentation des pathologies chroniques et de leurs conséquences : la perte sévère d'autonomie, la détresse psychologique, les symptômes physiques, la souffrance dans toutes ses dimensions. Une des maladies dont l'incidence a augmenté à cause du vieillissement est le cancer. Si on consulte les prévisions de nouveaux cas de cancer pour le Canada[5] pour 1999 (et cela exclut toujours les cancers de la peau non mélanomes), ils étaient de 129 300 nouveaux cas, une augmentation de 33 % en 10 ans, avec 70 % des nouveaux cas pour les plus de 60 ans, donc des gens plus susceptibles d'avoir, en plus, d'autres pathologies. Les estimations de décès par cancer pour 1999, toujours pour le Canada, étaient de 63 400 cas, soit une augmentation de 20 % en 10 ans, et 80 % de ces décès chez des plus de 60 ans. De plus, il est prévu que l'incidence va augmenter encore pendant plusieurs années. Nous devons ajouter à cela toutes les autres pathologies chroniques dont l'incidence et la gravité augmentent avec l'âge. Peut-être faut-il ajouter également les personnes porteuses du VIH, si la thérapie médicamenteuse n'avait malheureusement qu'un effet temporaire (on ne le sait pas encore). La somme de tout cela se traduit par une demande accrue de soins palliatifs.

Les coupures budgétaires qui ont été effectuées dans les dépenses de santé ces dernières années constituent le deuxième élément préoccupant de l'organisation des soins. Elles ont provoqué des exercices de rationalisation, souvent au détriment des soins palliatifs. Dans certains cas, ce furent des fermetures de lits ou des menaces de fermeture d'unités ; dans d'autres cas, ce fut la fusion des lits de soins palliatifs avec une autre unité de soins, causant une diminution des heures-soins et une dilution de l'équipe. Pour d'autres, les coupures ont occasionné un gel dans l'expansion ou une incapacité de réaliser un projet de soins palliatifs. Dans une rareté des ressources, la priorité va rarement vers des soins palliatifs.

La redéfinition du rôle de l'hôpital (comme « plateau technique », disent nos technocrates), surtout celui des grands hôpitaux universitaires, doit nous inquiéter. Cette redéfinition apporte un nouveau questionnement sur la place des soins palliatifs dans plusieurs de ces établissements. Y a-t-il encore une place pour mourir à l'hôpital quand un malade n'a plus besoin du « plateau technique » ?

Un autre élément de l'organisation des soins, c'est le domicile et le virage ambulatoire. On raccourcit les hospitalisations, on en modifie les indications, mais on n'a pas augmenté beaucoup les services à domicile. C'est la responsabilité des familles et la détresse des patients qu'on a le plus augmentées. Beaucoup de familles (quand elles existent) s'investissent au-delà de leurs limites, tant physiques et psychologiques que financières. Je vois régulièrement arriver des patients à La Maison Michel Sarrazin, qui viennent de leur domicile où ils sont en perte d'autonomie totale depuis des semaines et qui sont restés chez eux grâce à des proches qui les ont maintenus à bout de bras, à coup de congés, de privation de loisirs et de sommeil, négligeant leur famille immédiate et avec un support parfois bien limité de la part du CLSC. Aussi, on peut difficilement faire du maintien à domicile en soins palliatifs sans la collaboration des médecins de famille. Il y en a trop peu qui font des visites à domicile. Il y a des régions au Québec où des médecins de famille de pratique privée ne font aucune visite à domicile. Enfin, le maintien à domicile est compromis par la difficulté qu'éprouvent certains de nos patients à payer leurs médicaments ou certaines fournitures ou appareils, quand ce n'est pas tout simplement la difficulté à les obtenir, surtout en dehors des heures ouvrables. Les médicaments prescrits en soins palliatifs coûtent souvent cher. Pensons aux opioïdes à action prolongée, aux coanalgésiques, aux médicaments injectables. Ce principe de l'accessibilité aux soins palliatifs est loin d'être respecté.

Conclusion

Dans le monde des soins palliatifs, nous devons poursuivre notre réflexion sur nos orientations et la philosophie qui les a inspirées. J'ai voulu faire un tour d'horizon, vous présenter les fondements principaux et des exemples de dérives, mais aussi de ce qui n'en est peut-être pas. On doit accepter de se laisser interpeller et remettre en question. Toute cette réflexion sur les dérives nous ouvre une perspective vers un avenir à améliorer. Et l'avenir ne porte pas d'abord sur les structures et les budgets, mais sur nous tous et notre propre engagement.

1. AVISO (bulletin d'information de l'Association canadienne de soins palliatifs). Ottawa, printemps 1999.

2. Lamontagne C., Farley J., Girard S., Grenier L., Langevin J.Y., Lavallée O., Lavoie P., Plante A. Rapport du comité des normes de pratique (Association québécoise de soins palliatifs). Août 1999.

3. Keating B. Éthique en soins palliatifs. Les cahiers de soins palliatifs, 1999 1, 17-25.

4. Les soins palliatifs : vers un consensus pour une normalisation de la pratique. Association canadienne de soins palliatifs. Document de travail, 1995.

5. Statistiques canadiennes sur le cancer 1999. Société canadienne du cancer, Institut national du cancer du Canada, Santé Canada. Mars 1999.

Nicole Rousseau • professeure à la Faculté des sciences infirmières
de l'Université Laval et bénévole aux soins à La Maison
Michel Sarrazin • Téléphone : (418) 656-2131, poste 3061 •
Télécopieur : (418) 656-7747 • Courriel : Nicole.Rousseau@fsi.ulaval.ca

Gisèle Boucher-Dancause • responsable des soins infirmiers
à La MMS[1] • Téléphone : (418) 688-0878, poste 232 •
Télécopieur : (418) 681-8636 • Courriel : soins@lmms.qc.ca

Vivre la mort au quotidien
Première phase d'une recherche-action en soins infirmiers à La Maison Michel Sarrazin (MMS)

Nicole Rousseau, professeure
Gisèle Boucher-Dancause, responsable des soins infirmiers

Si les soins palliatifs ne s'implantent pas aussi rapidement et largement au Québec que leurs protagonistes le souhaitent, on ne peut nier l'existence de certains faits qui indiquent une évolution positive. Ainsi, on trouve un nombre grandissant de milieux voués à ce type de soins et, malgré les divergences, il existe un certain consensus quant à une définition de ce concept (Lamontagne, 1999). Le ministère de la Santé et des Services sociaux s'est même récemment engagé dans le mouvement par le biais, entre autres, de la reconnaissance de La Maison Michel Sarrazin (MMS) comme centre suprarégional de soins palliatifs et par l'octroi d'un budget pour y ouvrir un centre de jour ; une subvention a également été accordée à l'Association québécoise de soins palliatifs (AQSP) pour permettre une tournée provinciale visant à faire état de la situation des soins palliatifs au Québec. Les infirmières québécoises participent de diverses manières à ces initiatives, comme en témoignent quelques publications (Foucault, 1995 ; Léveillé, 2000 ; Plante, 1993), mais la recherche en soins infirmiers palliatifs est presque absente au Québec. Par cet article, nous voulons rendre compte du travail accompli dans le cadre d'une démarche de recherche-action entreprise, il y a plus de trois ans, dans le but de faire émerger et d'expliciter le modèle d'intervention en soins infirmiers de La Maison Michel Sarrazin. Nous expliquerons le contexte dans lequel cette démarche a été amorcée avant de décrire l'approche et les méthodes utilisées telles qu'adaptées à des contraintes ou circonstances favorables qui ont imposé certains ajustements, au projet de départ. Nous résumerons ensuite la recension des écrits réalisée et nous terminerons par une présentation et une discussion d'une partie des données recueillies, en espérant susciter une réflexion sur les difficultés de documenter, par la recherche, l'expertise spécifique aux infirmières en soins palliatifs.

Contexte de réalisation et but du projet

Au printemps 1996, à l'initiative de la responsable des soins infirmiers, le Conseil des infirmières et infirmiers (CII) de La Maison (voir la note n° 1 pour les noms de ces personnes) entreprenait une démarche de recherche, en collaboration avec la chercheure principale. Cette initiative se justifiait du fait qu'au cours des dix années d'existence de La MMS une expertise en soins infirmiers s'était développée dans ce milieu de soins palliatifs, mais qu'elle n'avait jamais été décrite. Diverses raisons encourageaient le groupe à cerner et décrire les compétences spécifiques acquises dans ce milieu particulier de l'exercice infirmier. Le personnel infirmier voulait se préparer à une deuxième évaluation par l'Ordre des infirmières et infirmiers du Québec, après avoir fait l'objet d'une première visite. L'équipe infirmière sentait aussi le besoin de partager les expériences vécues par chacune

et chacun afin de faire le point, et peut-être de dégager certains principes d'intervention, sinon un embryon de modèle théorique. Le groupe était également préoccupé des effets d'un roulement incessant d'intervenants et de stagiaires ; ces « nomades » mettent souvent des mois à saisir la philosophie du milieu, et parfois ne la saisissent jamais tout en ayant tendance à imposer leurs valeurs et façons de faire.[2] L'équipe croyait que le personnel régulier n'affirme pas toujours suffisamment sa compétence en soins palliatifs et n'est peut-être pas assez conscient de sa responsabilité d'enseignement. Enfin, jugeant que les outils habituellement utilisés par les infirmières (plan de soins classique, « cardex », questionnaire systématique de cueillette de données) de même que les modèles conceptuels ne sont pas adaptés au contexte de La MMS, le groupe souhaitait surtout développer éventuellement des moyens pour aider le personnel infirmier à donner des soins de meilleure qualité.

C'est dans ce contexte que l'équipe a amorcé une démarche de recherche dans le but de faire émerger et d'expliciter le modèle d'intervention en soins infirmiers de La MMS. Dès le départ, le groupe a choisi une approche de recherche qui devait s'ajuster à la réalité clinique, et non l'inverse ; la description de cette approche, telle qu'adaptée aux contraintes et circonstances favorables surgissant en cours de route, fait l'objet de la prochaine section.

Approche et méthodes utilisées

L'équipe a retenu la recherche-action, car ce type de recherche permet, davantage que les autres approches, de mettre activement à contribution les acteurs (ici les membres du personnel infirmier de La MMS) considérés comme des experts par rapport au phénomène à l'étude, les soins infirmiers aux malades en phase terminale de cancer. De plus, cette approche favorise l'accroissement des connaissances à partir de l'action (ici les interventions de soins de l'équipe infirmière) et, inversement, une modification de l'action (amélioration souhaitée de la qualité des soins) comme conséquence du développement des connaissances. (Gauthier, 1992) Cette approche n'excluait pas le recours à des méthodes de recherche variées selon les besoins et les objectifs particuliers à atteindre. Ainsi, au départ, le groupe envisageait de commencer le projet avec des méthodes qualitatives, dans le but de cerner la nature de l'expertise acquise au fil des années et de dégager certains principes sinon un modèle d'intervention, pour le poursuivre avec des méthodes quantitatives dans le but de développer des outils de travail et instruments d'évaluation de la qualité des soins.

Dans un premier temps, l'équipe a utilisé la méthode des groupes de discussion. Ainsi, entre mai 1996 et août 1997, douze réunions de deux heures chacune ont été tenues pour discuter des notes produites[3] par huit membres de l'équipe. Les discussions n'ont pas été enregistrées, mais un compte rendu de chacune des rencontres a été rédigé par la chercheure principale puis approuvé par le groupe. Ce processus a abouti à la production d'un document de 19 pages qui sera résumé dans la présentation des résultats ;

il inclut un témoignage d'une des infirmières que l'équipe a voulu conserver intégralement en raison de sa qualité (voir Marie de Serres dans le présent numéro).

L'étape suivante, selon le plan initial, était de passer à une approche quantitative afin de créer des outils de travail et d'évaluation de la qualité des soins découlant du document produit. Deux contraintes ont cependant forcé l'équipe à modifier le projet : l'infirmière chercheure pressentie pour la réalisation de cette phase n'était pas disponible, et la tâche des membres du groupe s'est alourdie en raison de divers facteurs, au point où il est devenu extrêmement difficile de tenir des réunions.

Parallèlement à ces contraintes, deux occasions se sont présentées, qui ont permis de poursuivre quand même la démarche de recherche. D'une part, à la suggestion de la responsable des soins infirmiers, la chercheure principale est devenue bénévole aux soins en septembre 1997, une activité qui lui permet de mieux comprendre la nature et le contexte du travail des infirmières. D'autre part, en 1998, une infirmière chercheure possédant une expertise en psychoneuroimmunologie est devenue membre de l'équipe de recherche de La MMS, ce qui a conduit au développement d'un projet visant à décrire les agents stresseurs auxquels est exposée l'infirmière œuvrant en soins palliatifs auprès des personnes atteintes de cancer, dans le contexte du virage ambulatoire ; trois des membres de l'équipe initiale sont aussi associés à ce dernier projet[4].

La recension des écrits, résumée dans la prochaine section, a été réalisée délibérément après la première étape de cette démarche de manière que les discussions du groupe soient centrées sur les expériences propres de ses membres plutôt que sur les opinions ou données exposées dans les publications professionnelles ou scientifiques.

Recension des écrits

Comme il fallait s'y attendre, certains ouvrages d'intérêt majeur pour l'équipe, publiés ailleurs que dans les revues répertoriées par les index consultés[5] (*International Nursing Index* et *Cumulative Index to Nursing and Allied Health Literature*), ont dû être repérés autrement. À titre d'exemple, mentionnons que cette recension n'a fait ressortir aucun article en français.

Dans les ouvrages autres que les publications scientifiques, on trouve des articles ou volumes qui traitent des soins infirmiers palliatifs de manière générale (Bullen, 1995 ; Foucault, 1995 ; Hanson et Cullihall, 1996 ; Irvine, 1993 ; Léveillé, 2000 ; Plante, 1993 ; Ufema, 1994) et des articles portant sur un ou des thèmes particuliers. Ces thèmes sont : l'idée qu'on peut apprendre des malades mourants (Ness, 1991) ; les deuils vécus par les infirmières (Fisher, 1991) ; la relation d'aide psychologique selon le modèle conceptuel infirmier de Peplau (Fowler, 1994) ; les interventions (médicamenteuses, mais aussi non médicamenteuses) à faire dans les cas de dyspnée (Campbell, 1996 ; Corner et al., 1995) ; la dimension spirituelle du rôle de l'infirmière (Coates, 1995 ; Elsdon, 1995) ; le contrôle de la douleur, médicamenteux ou non (Downing, 1997 ; Spross, 1993) ; et enfin les interventions de soutien à la famille (Hull, 1989).

Parmi les publications scientifiques, six études de type quantitatif ont été recensées, dont quatre portent sur la formation en soins infirmiers palliatifs (Jeffrey, 1994 ; Kristjanson et Balneaves, 1995 ; Ross et al., 1996 ; Samaroo, 1995), incluant trois sondages par questionnaire.

Une recherche de type quasi expérimental avec un groupe témoin (36 sujets) et un groupe expérimental (51 sujets) de malades souffrant de divers types de cancer a été conduite dans le but de mesurer les effets de visites de soutien psychologique effectuées par des infirmières au domicile des sujets ; selon les chercheurs, les résultats positifs obtenus justifient qu'une infirmière fasse de telles visites du début jusqu'à la fin des traitements. (Barker et Hall, 1997) Enfin, une enquête par questionnaire a été menée aux États-Unis auprès d'un échantillon de 700 membres de l'Oncology Nursing Society dans le but de découvrir leurs pratiques spirituelles. (Taylor et al., 1995)

La recension inclut enfin six études de type qualitatif portant spécifiquement sur les soins infirmiers palliatifs ou sur un de leurs aspects ; nous nous attarderons davantage à ces études, car elles nous paraissent plus pertinentes à notre propos de par les objectifs poursuivis et les méthodes utilisées. Bottorff (1995) a réalisé une étude éthologique dans le but de décrire les interventions de réconfort utilisées par des infirmières auprès de malades atteints de cancer. Son analyse de 570 heures d'interactions infirmières-patients, enregistrées sur vidéocassettes, a permis de découvrir quatre types de stratégies de réconfort utilisées par les infirmières filmées : avoir une humeur agréable ; assurer le confort physique du malade par l'administration de la médication, les soins du corps (massages, bains, changements de position, etc.) et la modification de l'environnement du malade ; donner de l'information sur la maladie du patient, ses manifestations et son traitement, sur l'environnement hospitalier, l'équipement et le personnel ; toucher au malade dans le but de le rassurer, l'apaiser, le calmer ou dans le but de communiquer avec lui.

L'étude phénoménologique de Rittman et al. (1997) a été faite au moyen d'entrevues avec six infirmières considérées par leurs pairs comme des expertes, dans le but de décrire leur expérience des soins aux mourants cancéreux. L'analyse de ces entrevues a fait émerger les quatre thèmes suivants : connaître le patient et l'évolution de sa maladie ; conserver l'espoir ; faciliter le combat (par un contrôle adéquat de la douleur, des moyens pour assurer le confort physique, la présence d'êtres chers) ; favoriser l'intimité. Par rapport au premier thème,

notons que les infirmières ont affirmé qu'elles choisissaient parfois d'établir une relation privilégiée avec certains malades et qu'elles s'investissaient alors émotionnellement dans l'accompagnement de ces patients ; enfin, elles ont dit se laisser guider par leur intuition pour donner aux malades ce dont ils ont besoin « pour vivre une belle mort ». Une autre étude phénoménologique, dans laquelle deux infirmières de soins palliatifs ont été interrogées, a mis en relief le fait qu'un des défis de ces infirmières consiste à préserver leur intégrité personnelle et professionnelle, car l'estime et la valorisation de soi peuvent être affectées par une exposition constante à la souffrance et à la mort des patients ; elles y arrivent à travers un processus continuel de réflexion sur leur propre pratique professionnelle et sur leur vie personnelle. (McWilliam et al., 1993)

Au cours d'entrevues semi-structurées, Heslin et Bramwell (1989) ont demandé à cinq infirmières d'une unité de soins palliatifs : « Quels sont les interventions de soins infirmiers susceptibles de favoriser le confort physique, psychologique et spirituel des patients en phase terminale ? » Les quatre thèmes suivants sont ressortis des réponses : prendre soin de la famille (par exemple, faciliter l'expression des émotions et la résolution de conflits) ; personnaliser les soins ; contrôler les symptômes ; soutenir ce qu'il reste de vie. Davies et Oberle (1990) ont, quant à elles, demandé à une infirmière qu'elles considéraient comme une experte en soins palliatifs de décrire les différentes dimensions de son rôle à travers le récit de dix cas vécus. Selon l'analyse qui a été faite de ces récits, le rôle de l'infirmière en soins palliatifs comprendrait six dimensions : valoriser les capacités et caractéristiques de chaque individu ; établir un contact avec le patient et sa famille, par le toucher ou autrement ; donner du pouvoir au malade et à sa famille ; faire pour le malade et la famille ce qu'ils ne peuvent pas faire eux-mêmes (fait surtout référence aux soins physiques) ; aider le malade à trouver un sens à son expérience ; préserver sa propre intégrité par diverses stratégies (introspection, valorisation de soi, capacité de se mettre des limites). Enfin, Degner et al. (1991) ont tenté de découvrir les comportements de l'infirmière qui peuvent s'avérer critiques en soins palliatifs, positivement ou négativement. Des entrevues semi-structurées faites auprès de dix infirmières enseignantes et de dix infirmières possédant en moyenne 8 ans[6] d'expérience en soins palliatifs leur ont permis de trouver sept comportements qui s'avèrent particulièrement critiques : réagir adéquatement au moment même du décès ; assurer le confort du malade ; réagir adéquatement à la colère ; favoriser la croissance personnelle ; participer à la collégialité de l'équipe soignante ; favoriser la qualité de vie en phase terminale ; répondre adéquatement à la famille. Les auteurs ont trouvé des différences importantes entre les comportements d'infirmières décrits dans les publications et ceux décrits par les participantes à l'étude ; ainsi, par exemple, les réactions au moment même du décès et les réponses à la colère sont très peu discutées.

Critique sommaire des écrits

Il faut d'abord souligner que la distinction est parfois mince entre les publications dites scientifiques et les autres ; pourquoi accorderait-on, en effet, plus de crédibilité à un article découlant de l'analyse d'entrevues réalisées avec deux infirmières et présenté comme un rapport d'étude phénoménologique (McWilliam et al., 1993) qu'à un autre présenté par une intervenante d'expérience s'appuyant sur plusieurs années

d'exercice infirmier en soins palliatifs, avec exemples à l'appui (Plante,
1993) ? Une autre caractéristique de
l'ensemble des publications est, à
de rares exceptions près, la nature
très générale des informations
qu'on peut en tirer. Qu'il s'agisse,
en effet, de textes scientifiques ou
non, leur contenu se ressemble et
demeure général. Les articles qui
portent sur un thème spécifique
sont plus informatifs, mais ils sont
peu nombreux et les mêmes thèmes
y reviennent.

Tous les articles scientifiques
recensés n'ont utilisé qu'une seule
méthode de recherche, voire même
un seul instrument dans presque
tous les cas ; nous aborderons les
conséquences de cette limite dans
la discussion de nos résultats. Même
si on peut accepter que les échan-
tillons de participantes aux études
de type qualitatif soient petits, un
échantillon inférieur à dix est insuf-
fisant, surtout lorsqu'il est constitué
de personnes provenant d'un même
milieu. Ces quelques observations
nous amènent à conclure que la
recherche en soins infirmiers palliatifs est encore très embryonnaire, et
c'est dans ce contexte qu'il faut considérer les résultats présentés ci-
dessous.

Présentation des résultats et discussion

Les résultats présentés ici provien-
nent essentiellement des groupes
de discussion décrits précédem-
ment, lesquels ont travaillé sur huit
documents écrits par autant de personnes différentes. L'ensemble des
19 pages d'énoncés résultant des
groupes de discussion a ensuite été
analysé par la chercheure principale
dans le but d'en faire émerger les
principes qui caractérisent l'approche de soins infirmiers de La
MMS. Neuf principes, ou lignes de
conduite générales, ont ainsi pu être
dégagés. Cette interprétation des
discussions a été validée par les
huit membres du groupe qui l'ont
commentée individuellement, verba-
lement ou par écrit ; leurs commentaires seront présentés plus loin. Les
neuf principes dégagés sont énoncés ci-dessous et illustrés chacun
par quelques extraits du document
analysé.

1. **Partager la conviction que La MMS est une maison, *mais* aussi accepter le fait que certaines contraintes institutionnelles sont nécessaires à l'occasion.**

La MMS est une maison ; chaque
chambre est une maison. Possibilité
de négocier l'horaire des activités
(davantage une question d'attitude

que de possibilités organisation-
nelles). La MMS est un endroit où
patients et proches peuvent se
promener en pyjama, organiser des
soupers, des réunions familiales,
faire venir leur chien, leur chat, etc.
La chambre du patient est son habitat, qu'il peut organiser à son goût :
photos, décorations, etc. Cet habitat
doit être respecté par les intervenants.

La MMS n'est pas non plus la
maison chez vous, même si elle
veut y ressembler le plus possible,
car il y a certaines règles à respecter,
si minimales soient-elles, et il y a la
présence de tous ces étrangers : personnel, patients et familles, etc. qui
entrent dans votre vie.

2. **Connaître rapidement le malade, *mais*
sans tomber dans la curiosité, pour mieux
l'accompagner dans la dernière étape de
sa vie.**

En un court laps de temps, il faut
connaître assez la personne pour
pouvoir assurer son confort tout en
évitant de tomber dans la curiosité.

C'est être consciente qu'il faut
savoir garder un regard et un cœur
neufs pour chacune des situations
que nous rencontrons, pour chacune des personnes que nous
accueillons, car chaque famille,

chaque malade a non seulement
une histoire de maladie, mais
surtout une histoire de vie qui lui
est propre. Nous ne savons pas d'où
ils viennent et nous n'avons pas à
nous immiscer dans leur vie. Il nous
faut savoir accompagner tout en les
connaissant peu.

Il faut accompagner le patient
dans son acceptation *ou non* de la
mort. Sarrazin n'est pas synonyme
d'acceptation (en termes de grandir).

Il faut permettre au mourant de
continuer à vivre. La mission n'est
pas d'amener le mourant à accepter
sa mort, mais de l'aider à vivre ce
qu'il lui reste à vivre.

3. **Bien se connaître et respecter ses propres
besoins, *mais* être aussi capable de se
remettre en question.**

Il est important de bien se connaître. S'accorder du temps et du
repos si on ne veut pas « mourir
émotivement ».

Lorsque je quitte La MMS, il est
important que je décroche de la
mort pour garder un bon équilibre.
Donc, la vie doit prendre la place :
nature, sorties, contact avec amis,
famille.

Il faut être capable d'aller chercher de l'aide soi-même, au besoin.

Il faut faire attention de demeurer soi-même tout en étant conscient de ses propres préjugés.

Il faut être capable de se remettre en question.

4. **Savoir reconnaître l'imminence de la mort, *mais* ne jamais oublier que la vie demeure toujours présente jusqu'à la fin.**

Savoir reconnaître les signes de l'imminence de la mort et être sincère dans les échanges avec le mourant et son entourage à ce moment précis.

La personne malade, mortellement malade, est une personne *bien vivante.* Être mourant ne veut pas dire ne pas être vivant.

Voir la vie se retirer et continuer de croire en l'humain, être présente dans le chemin de vie qu'il reste à parcourir. Travailler à La MMS, c'est un privilège, le privilège d'être, de vivre avec des gens qui ne sont pas morts mais, au contraire, encore peut-être plus «vivants» que bien d'autres, car ils sont plus authentiques devant les vraies valeurs de la vie.

5. **Tirer profit du passage continuel d'une variété d'intervenants, *mais* veiller à conserver la philosophie de La MMS.**

Gardons bien en mémoire que La Maison Michel Sarrazin est aussi un *centre de formation* où le passage et l'interaction continuels des divers professionnels comportent à la fois un enrichissement considérable et motivant pour ceux et celles qui travaillent et un danger de voir s'étioler avec les années l'esprit de la philosophie qui habitait les fondateurs dans les débuts.

Pour réaliser sa mission, La Maison Michel Sarrazin est dotée de deux forces complémentaires : les pionniers de l'œuvre et les «nomades» qui viennent enrichir à tour de rôle La MMS. L'interaction et l'union de ces forces ont alors des répercussions d'une portée infinie : le va-et-vient des «passants» favorise le développement et la recherche, tandis que les pionniers sont à l'avant-garde du maintien de l'esprit et de la philosophie de La Maison Michel Sarrazin.

6. Être prêt à tout faire pour assurer le confort du mourant, *mais* aussi être capable d'accepter sa propre impuissance et accepter de ne pas intervenir.

C'est assumer ma responsabilité professionnelle jusqu'au bout. C'est savoir et oser « revendiquer » ce que je crois être souhaitable pour le malade que je soigne. C'est, en conséquence, toujours rester en éveil, en quête de ce qui pourrait aider, soulager, éclairer, rassurer, soigner... et développer sans cesse ma compétence.

Être capable de composer avec des manifestations extrêmes qui, tant physiques que psychologiques, nous confrontent à notre impuissance (ex. : cette jeune femme morte d'une hémorragie utérine).

C'est accepter de ne pas intervenir... C'est parfois difficile de ne pas intervenir, de se rendre compte qu'on n'a pas besoin de nos compétences professionnelles.

7. Reconnaître ses compétences, *mais* savoir demander de l'aide aux autres membres de l'équipe et reconnaître qu'il peut y avoir une certaine réciprocité dans la relation infirmière-mourant.

Travailler à La MMS, c'est être capable de connaître mes compé-tences, mais aussi reconnaître mes limites et demander de l'aide aux autres membres de l'équipe multi-disciplinaire.

C'est être capable d'accepter de recevoir du malade.

8. Maîtriser les techniques (de relation d'aide, et autres), *mais* permettre à l'intuition de prendre sa place et demeurer créatif dans sa réponse aux besoins.

L'accompagnement est un dialogue entre adultes, d'égal à égal. Il faut accompagner avec tout ce qu'on est, incluant ses émotions. Toutefois, il ne faut pas oublier d'utiliser les techniques de la relation d'aide.

C'est être capable de laisser tomber le masque professionnel.

Se méfier de la routine, des protocoles, des habitudes du savoir-faire et rester éveillée (créatrice dans ma réponse aux besoins).

9. Garder les deux pieds sur terre, *mais* avoir un certain sens du sacré et être capable de s'émerveiller de la bonté de certaines personnes (malades ou intervenant/e/s).

Regarder la mort en face. Éviter *l'acharnement.* Chercher à comprendre ce que veut dire acharnement pour certaines personnes, questionner le médecin. Voir la détérioration (augmentation de la faiblesse, baisse d'intérêt, cessation d'alimentation, passage des comprimés aux injections sous-cutanées, confusion, agitation).

Maintien d'un espoir *réaliste*.

Être capable d'accepter « la magie » qui entoure la mort, l'inexplicable que l'on veut absolument expliquer, le sens qu'il faut trouver.

Cultiver mon sens du sacré dans le dernier acte de la vie...

C'est être régulièrement rassurée sur le fait qu'il y a encore beaucoup de beau et de bon monde (autant chez les malades et les familles que nous accueillons que chez toutes ces personnes qui travaillent à La MMS).

Le tableau ci-dessous permet de comparer ces résultats à ceux d'autres études.

Nature des soins infirmiers palliatifs
Comparaison des résultats du projet de
La Maison Michel Sarrazin à ceux d'autres études

Résultats des autres études	Résultats de l'équipe de La Maison Michel Sarrazin
Préserver sa propre intégrité personnelle et professionnelle grâce à un processus continuel de réflexion sur sa propre pratique professionnelle et sur sa vie personnelle. (Davies and Oberle, 1990 ; McWilliam et al., 1993) ; avoir une humeur agréable (Bottorff, 1995) ; capacité de se mettre des limites (Davies and Oberle, 1990) ; participer à la collégialité de l'équipe soignante (Degner et al., 1991)	Bien se connaître et respecter ses propres besoins, mais être aussi capable de se remettre en question. (Principe 3) Reconnaître ses compétences, mais savoir demander de l'aide aux autres membres de l'équipe et reconnaître qu'il peut y avoir une certaine réciprocité dans la relation infirmière-mourant. (Principe 7)
Assurer le confort physique du malade par l'administration de la médication, les soins du corps (massages, bains, changements de position, etc.) et la modification de l'environnement du malade (Bottorff, 1995 ; Degner et al., 1991 ; Heslin and Bramwell, 1989 ; Rittman et al., 1997) ; faire pour le malade et la famille ce qu'ils ne peuvent pas faire eux-mêmes (Davies and Oberle, 1990)	Être prêt à tout faire pour assurer le confort du mourant, mais aussi être capable d'accepter sa propre impuissance et accepter de ne pas intervenir. (Principe 6) Maîtriser les techniques (de relation d'aide et autres), mais permettre à l'intuition de prendre sa place et demeurer créatif dans sa réponse aux besoins. (Principe 8)

Nature des soins infirmiers palliatifs
Comparaison des résultats du projet de
La Maison Michel Sarrazin à ceux d'autres études (suite)

Résultats des autres études	Résultats de l'équipe de La Maison Michel Sarrazin
Donner de l'information sur la maladie du patient, ses manifestations et son traitement, sur l'environnement hospitalier, l'équipement et le personnel (Bottorff, 1995)	Prendre le temps de répondre aux questionnements du patient et des proches, essayer de les rassurer ». (Énoncé n° 6 tiré du document synthèse)
Toucher au malade dans le but de le rassurer, l'apaiser, le calmer ou dans le but de communiquer avec lui (Bottorff, 1995) ; réagir adéquatement à la colère (Degner et al., 1991)	(Voir article de Marie de Serres dans ce numéro.)
Connaître le patient et l'évolution de sa maladie (Rittman et al., 1997) ; la personnalisation des soins (Heslin and Bramwell, 1989) ; valoriser les capacités et caractéristiques de chaque individu (Davies and Oberle, 1990) ; donner du pouvoir au malade et à sa famille (Davies and Oberle, 1990)	Connaître rapidement le malade, mais sans tomber dans la curiosité, pour mieux l'accompagner dans la dernière étape de sa vie. (Principe 2)
Conserver l'espoir (Rittman et al., 1997)	Maintien d'un espoir réaliste. » (Énoncé n° 38)
Favoriser l'intimité (Rittman et al., 1997)	Il faut être le chien de garde de l'intimité du patient, car avec le grand nombre de stagiaires de toutes disciplines et avec la venue du certificat, nous nous devons d'être vigilants. » (Énoncé n° 9)
Les soins à la famille (par exemple, faciliter l'expression des émotions et la résolution de conflits) (Heslin and Bramwell, 1989) ; établir un contact avec le patient et sa famille par le toucher ou autrement (Davies and Oberle, 1990) ; répondre adéquatement à la famille, réagir adéquatement au moment même du décès (Degner et al., 1991)	Voir et accepter les membres de la famille à la fois comme personnes aidantes et aidées. » (Énoncé n° 37)

**Nature des soins infirmiers palliatifs
Comparaison des résultats du projet de
La Maison Michel Sarrazin à ceux d'autres études (suite)**

Résultats des autres études	Résultats de l'équipe de La Maison Michel Sarrazin
Soutenir ce qu'il reste de vie (Heslin and Bramwell, 1989) ; favoriser la qualité de vie en phase terminale (Degner et al., 1991)	Savoir reconnaître l'imminence de la mort, mais ne jamais oublier que la vie demeure toujours présente jusqu'à la fin. (Principe 4)
Aider le malade à trouver un sens à son expérience (Davies and Oberle, 1990)	Être capable d'accepter « la magie » qui entoure la mort, l'inexplicable que l'on veut absolument expliquer, le sens qu'il faut trouver. » (Énoncé n° 23)
Favoriser la croissance personnelle (Degner et al., 1991) ; donner aux malades ce dont ils ont besoin pour vivre une belle mort (Rittman et al., 1997)	(Ces deux objectifs ne sont pas forcément poursuivis.)
	Partager la conviction que La MMS est une maison, mais aussi accepter que certaines contraintes institutionnelles sont nécessaires à l'occasion. (Principe 1) Tirer profit du passage continuel d'une variété d'intervenants, mais veiller à conserver la philosophie de La MMS. (Principe 5) Garder les deux pieds sur terre, mais avoir un certain sens du sacré et être capable de s'émerveiller de la bonté de certaines personnes (malades ou intervenant/e/s). (Principe 9)

On voit que certains résultats de l'équipe de La MMS apportent une dimension nouvelle liée au fait que cette maison est un établissement de formation en même temps que d'intervention et de recherche. Un autre aspect original est l'insistance à conserver le caractère « maison » de l'institution, avec tout ce que cela suppose de concessions à faire aux habitudes acquises dans les établissements du réseau. Enfin, soulignons la nuance non négligeable suivante : à La MMS, le personnel infirmier n'a pas comme objectif que les malades vivent une belle mort, mais plutôt qu'ils vivent leur mort. Cette nuance n'apparaît pas explicitement dans les publications recensées ; Rittman et al. (1997) mentionnent même que donner aux malades ce dont ils ont besoin « pour vivre une belle mort » est un objectif à poursuivre.

Les commentaires recueillis à l'occasion de la validation de l'interprétation des résultats (les neuf principes dégagés) apportent une nouvelle dimension et certaines précisions. Deux infirmières ont souligné le fait qu'elles-mêmes et le milieu ont évolué depuis la tenue des groupes de discussion (« Il y a des choses que je vois différemment par rapport à la mort. ») ; cette réaction, de la part d'intervenantes d'expérience, nous éveille à la dimension dynamique de ce travail et de son contexte. Deux personnes ont tenu à préciser qu'il est important de « parler d'accompagnement dans la vie » plutôt que de mettre l'accent sur la présence de la mort. Une autre a souligné quelques contraintes jugées acceptables à La MMS : contraintes d'horaire pour certains soins et pour assurer la sécurité des malades (par exemple, on veille à ce que les malades fumeurs utilisent un tablier ignifuge) ; présence de l'infirmière exigée lorsqu'on utilise le lève-patient ; on ne laisse pas les médicaments à la disposition des malades ou des proches. Enfin, par rapport au principe n° 6, une infirmière insiste : on doit viser la « tolérance zéro pour toute forme d'inconfort ».

Au-delà des ressemblances et différences dans les thèmes abordés, il faut souligner le caractère général et très partiel des résultats, comme c'est le cas pour les autres études. Si certains des énoncés recueillis sont plus explicites, la plupart constituent davantage des lignes de conduite générales, des observations ou réflexions qui soulèvent des questionnements. Pour illustrer ces limites des résultats, nous ne donnerons que trois exemples. Le bénévolat occupe une place importante en soins palliatifs, et il est très présent à La MMS (Last Acts Task Force on Palliative Care, 1998 ; Rousseau et Bernard, 1999). Or, la seule mention qui en est faite dans le document analysé est la courte phrase suivante : « C'est apprendre à travailler avec les bénévoles. » Pourtant, de toutes les catégories de professionnels qui interviennent à La MMS, c'est le personnel infirmier qui travaille le plus étroitement avec les bénévoles ; cet aspect du travail infirmier mériterait une recherche en soi. L'importance de savoir reconnaître l'imminence de la mort a également été brièvement évoquée, mais elle n'a pas été développée. Les observations faites dans le cadre des activités de bénévolat de la chercheure principale permettent de constater à quel point l'expertise acquise à cet égard par certaines infirmières s'avère cruciale dans plusieurs cas. Enfin, l'expertise acquise par les infirmières de liaison n'a même pas été mentionnée ; leur rôle est pourtant déterminant dans la décision d'admettre ou non un malade à La MMS. Leur jugement doit être juste quant au pronostic de survie de chaque malade admis, puisqu'on estime que, pour une utilisation optimale des ressources de La MMS, la durée de séjour des patients ne doit pas dépasser deux mois. Les quelques statistiques suivantes permettent d'illustrer cette dimension du travail infirmier : entre le 9 avril 1985 et le 31 mars 1999, les infirmières de liaison ont évalué la situation de 5 741 malades dont 3 388 ont été admis à La MMS. De ce nombre, seulement 116 n'y sont pas décédés parce que le pronostic de survie s'est révélé incorrect ; la durée

moyenne du premier séjour de ceux qui y sont morts a été de 15 à 20 jours selon les années. Voilà un autre aspect du rôle de l'infirmière qui mériterait d'être examiné.

Les choix méthodologiques entraînent donc, on le voit, des limites non négligeables des résultats obtenus, que les méthodes choisies soient de type quantitatif ou qualitatif ; Degner et coll. (1991) avaient aussi souligné ce fait. Nous ne saurions donc trop insister sur l'importance de varier les méthodes et les sources de données. Dans cette perspective, un projet d'étude de cas est considéré dans le but d'examiner la contribution de chaque catégorie d'intervenants (animateurs de pastorale, infirmières, médecins, pharmaciennes, travailleuses sociales) aux soins apportés à une malade dont l'état a particulièrement sollicité les compétences de chacun.

Conclusion

Cet article n'est pas l'aboutissement d'une étude mais plutôt un compte rendu d'une recherche en cours de réalisation. Il résume l'état de la recherche en soins infirmiers palliatifs et rend compte des travaux réalisés dans un milieu différent des unités situées dans des centres hospitaliers. En montrant quelques conséquences des limites des diverses méthodes utilisées dans ces recherches, nous espérons encourager les infirmières à approfondir divers aspects de l'exercice infirmier en soins palliatifs au moyen d'une variété de méthodes.

En terminant, nous voulons souligner l'importance de la dimension interdisciplinaire des soins palliatifs, dimension qui rend peut-être plus difficile que dans d'autres spécialités l'étude de la contribution des infirmières aux soins des malades. Il n'est pas facile de décrire l'expertise spécifique aux infirmières dans un milieu où la compassion des médecins, le professionnalisme des bénévoles et la générosité des infirmières se mêlent aux compétences des autres professionnels et même à celles des proches du malade pour donner « la merveilleuse Maison Michel Sarrazin », comme on peut lire dans de nombreuses notices nécrologiques.

Liste des références

Barker, Cathy and Hall, Nevill. « The value of home support for cancer patients : a study », *Nursing Standard*, vol. 11, n° 32, 1997, p. 34-37.

Bottorff, Joan L., Mary Gogag and Michelle Engelberg-Lotzkar. « Comforting : exploring the work of cancer nurses », *Journal of Advanced Nursing*, vol. 22, 1995, p. 1077-1084.

Bullen, May. « The role of the specialist nurse in palliative care », *Professional Nurse*, vol. 10, n° 12, 1995, p. 755-756.

Campbell, Margaret L. « Managing terminal dyspnea : caring for the patient who refuses intubation or ventilation », *Dimension of Critical Care Nursing*, vol. 15, n° 1, 1996, p. 4-13.

Coates, Stuart. « Spiritual components in palliative care », *European Journal of Palliative Care*, vol. 2, n° 1, Spring 1995, p. 37-39.

Corner, Jessica, Hilary Plant, Christopher Bailey and Meinir Krisanasamy. « Clearing the air », *Nursing Times*, Nov. 22-28, vol. 91, n° 47, 1995, p. 42-43.

Davies, Betty and Kathleen Oberle. « Dimensions of the supportive role of the nurse in palliative care », *Oncology Nursing Forum*, vol. 17, n° 1, 1990, 87-94.

Degner, Lesley F., Christina M. Gow and Laurie A. Thompson. « Critical nursing behaviors in care for the dying », *Cancer Nursing*, vol. 14, n° 5, 1991, p. 246-253.

Downing, Julia. « Palliative care : pain... Part 3 », *Nursing Times*, Aug. 20-26, vol. 93, n° 34, 1997, p. 57-62.

Elsdon, Rosemary. « Spiritual pain in dying people : the nurse's role », *Professional Nurse*, vol. 10, n° 10, 1995, p. 641-643.

Foucault, Claudette. *L'art de soigner en soins palliatifs. Perspectives infirmières*, avec la collaboration de Claire Chapados, Les Presses de l'Université de Montréal, Montréal, 1995.

Fowler, John. « A welcome focus on a key relationship. Using Peplau's model in palliative care », *Professional Nurse*, vol. 10, n° 3, 1994, p. 194-197.

Gauthier, Benoît. « La recherche-action », dans *Recherche sociale. De la problématique à la collecte des données*, sous la direction de Benoît Gauthier, Presses de l'Université du Québec, Sillery, 1992, chap. 20, p. 517-533.

Geoffrion, Paul. « Le groupe de discussion », dans *Recherche sociale. De la problématique à la collecte des données*, sous la direction de Benoît Gauthier, Presses de l'Université du Québec, Sillery, 1992, chap. 13, p. 311-335.

Hanson, Elizabeth J. and Kathrine Cullihall. « Palliative nursing care of a man with terminal cancer », *British Journal of Nursing*, vol. 5, n° 8, 1996, p. 473-474, 476-479.

Heslin, Kathleen and Lillian Bramwell. « The supportive role of the staff nurse in the hospital palliative care situation », *Journal of Palliative Care*, vol. 5 n° 3, 1989, p. 20-26.

Hull, Margaret M.. « Family needs and supportive behaviors during terminal cancer : a review », *Oncology Nursing Forum*, vol. 16, n° 6, 1989, p. 787-792.

Ingleton, Christine and Ann Faulkner. « Quality assurance in palliative care : a review of the literature », *Journal of Cancer Care*, vol. 4, n° 2, 1995a, p. 49-55.

Ingleton Christine and Ann Faulkner. « Quality assurance in palliative care : some of the problems », *European Journal of Cancer Care*, vol. 4, n° 1, 1995b, p. 38-44.

Irvine, Bridget. « Developments in palliative nursing in and out of the hospital setting », *British Journal of Nursing*, vol. 2, n° 4, 1993, p. 218-224.

Jeffrey David. « Appropriate palliative care : when does it begin ? », *European Journal of Cancer Care*, vol. 4, 1995, p. 122-126.

Kristjanson, Linda J. and Linda Balneaves. « Directions for palliative care nursing in Canada : report of a national survey », *Journal of Palliative Care*, vol. 11, n° 3, 1995, p. 5-8.

Léveillé, Geneviève. *À l'intention des infirmières et infirmiers. Guide d'intervention clinique en soins palliatifs*, à paraître bientôt aux Éditions Anne Sigier, Sillery.

Lamontagne, Claude. « Évolution et tendances à travers les définitions des soins palliatifs », *Les Cahiers de soins palliatifs*, vol. 1, n° 1, 1999, p. 11-16.

Last Acts Task Force on Palliative Care, Precepts of Palliative Care Developed by the Task Force on Palliative Care, Last Acts Campaign, Robert Wood Johnson Foundation, *Journal of Palliative Medicine*, vol. 1, n° 2, Summer 1998, p. 109-112.

McWilliam Carol L., Joan Burdock and Jean Wamsley. « The challenging experience of palliative care support-team nursing », *Oncology Nursing Forum*, vol. 20, n° 5, 1993, p. 779-785.

Ness, Sue. « Thanks... for teaching me that : reflections on my experiences as a palliative care nurse », *Canadian Oncology Nursing Journal*, vol. 1, n° 2, 1991, p. 58-59.

Plante, Anne. « Le rôle de l'infirmière auprès des personnes en phase terminale », *Frontières*, hiver 1993, p. 21-27.

Rittman, Maud, Juan Rivera, Lesa Sutphin and Illeana Godown. « Phenomenological study of nurses caring for dying patients », *Cancer Nursing*, vol. 20, n° 2, 1997, p. 115-119.

Ross, Margaret M., Beth McDonald and Joan McGuinness. « The palliative care quiz for nursing (PCQN) : the development of an instrument to measure nurses'knowledge of palliative care », *Journal of Advanced Nursing*, vol. 23, 1996, p.126-137.

Rousseau, Nicole et Louise Bernard. « Nouveau visage du bénévolat, nouveaux défis en soins palliatifs », *Les Cahiers de soins palliatifs*, vol. 1, n° 1, 1999, p. 35-50.

Samaroo, Bethan. « Focus on quality. Comfort levels with the dying », *Canadian Nurse*, vol. 91, n° 8, 1995, p. 53,57.

Spross, Judith A. « Cancer pain relief : an international perspective », *Caring Magazine*, vol. 12, n° 2, 1993, p. 26-33.

Taylor, Elizabeth Johnson et al. « Spiritual care practices of oncology nurses », *Oncology Nursing Forum*, vol. 22, n° 1, 1995, p. 31-39.

Ufema, Joy. « Palliative care : doing little things », *Nursing*, vol. 24, n° 10, 1994, p. 18-19.

White, Tony. « Partners in care », *Nursing Times*, vol. 90, n° 44, Nov. 2-8, 1994, p. 58, 60-61.

1. Cet article rend compte d'une recherche qui a aussi mis à contribution les personnes suivantes : Yves Bonenfant, Odile Côté, Lise Leclerc, infirmier et infirmières à La Maison Michel Sarrazin (MMS), Geneviève Léveillé et Colette Soulard, assistantes à la responsable des soins, Marie de Serres, infirmière-réseau devenue clinicienne spécialisée en oncologie au Centre hospitalier universitaire de Québec, Lise Faucher et Suzanne Lavoie, infirmières de liaison à La MMS. Nous remercions ces personnes pour leurs commentaires sur une première version de cet article. Manon Dugas, infirmière et professionnelle de recherche, a réalisé la recension des écrits.

2. Il convient de préciser ici que la majorité des membres du personnel infirmier est constituée de professionnels prêtés pour un an par sept centres hospitaliers de la région, conformément à une entente intervenue lors de la fondation de La MMS. Ces personnes occupent 8 postes à temps complet sur 9 ; le seul autre poste d'infirmière à temps complet est celui de la responsable des soins. Tous les six mois, la moitié de ce personnel prêté quitte et doit être remplacé. L'année de prêt est aussi vue comme une période de formation en soins palliatifs pour ces professionnels afin qu'ils deviennent des agents multiplicateurs des soins palliatifs une fois de retour dans leur milieu de travail. Au roulement important du personnel prêté, il faut ajouter celui des stagiaires (animateurs de pastorale, infirmières, médecins, pharmaciennes, travailleuses sociales) et des bénévoles aux soins.

3. Ces notes écrites consistent en documents allant d'une demi-page à six pages et portent sur quelque sujet que ce soit jugé pertinent au but poursuivi.

4. Il s'agit de Gisèle Boucher-Dancause, de Marie de Serres et de Nicole Rousseau. Notons que ce projet a fait l'objet d'une lettre d'intention accueillie positivement par la *Fondation canadienne de la recherche sur les services de santé*, sous le thème directeur « Gestion et organisation de la pratique infirmière » ; la chercheure principale est Lise Fillion.

5. Notons que les mots « palliative care » peuvent être recherchés électroniquement depuis 1982 seulement, année où l'OMS a commencé à promouvoir les soins palliatifs.

6. Par comparaison, cinq membres de notre équipe travaillent en soins palliatifs depuis plus de dix ans.

Marie de Serres • infirmière •
Centre hospitalier universitaire de Québec (CHUQ) •
Courriel : Marie.de.Serres@chuq.qc.ca

Quelques réflexions sur la relation professionnelle et la réciprocité

Marie de Serres, infirmière

Entre avril 1996 et mai 1997, alors que j'étais infirmière soignante à La Maison Michel Sarrazin (MMS), j'ai eu la chance de participer à la démarche de réflexion du Conseil des infirmières et infirmiers de La MMS, rapportée dans l'article de Nicole Rousseau et Gisèle B. Dancause dans ce même numéro.

Chaque membre du groupe avait été invité à écrire ce que cela signifiait pour lui de travailler à La MMS. Pour répondre à cette question, j'avais écrit un bref texte auquel j'avais ajouté l'essentiel d'une lettre adressée à une amie infirmière. J'avais écrit cette lettre à la suite d'une situation de soins qui m'avait beaucoup fait réfléchir et avait influencé ma façon de voir la relation professionnelle, et en particulier la réciprocité à l'intérieur de celle-ci. Je vous livre donc ces réflexions qui ne correspondent peut-être pas très bien à l'orthodoxie de ce qu'on apprend sur la relation d'aide, mais qui expriment bien mon vécu et mes croyances.

Quelques réflexions sur le travail à La MMS

Il me semble que travailler à La Maison Michel Sarrazin exige de dépasser la relation professionnelle habituelle pour entrer davantage dans une certaine relation d'amour avec les patients. Cela ne fait pas très « correct » de parler ainsi. Cependant, quand parfois je sens que les exigences d'un patient me dépassent ou me demandent trop et qu'une autre personne est capable d'aller plus loin pour comprendre et satisfaire ce patient, je sens que la différence entre elle et moi se situe sur le plan de l'amour. Je sens que cette personne est davantage capable de trouver des explications au comportement du patient, qu'elle sait mieux l'accepter comme il est et qu'elle veut plus intensément améliorer le temps de vie qu'il lui reste. Comme cela implique souvent plus d'efforts, plus de temps, il me semble qu'en général ce n'est pas seulement la scientifique « empathie » qui est en jeu, mais un type de relation différent qui correspond à une forme d'amour.

Ce n'est pas de l'amour comme celui que l'on vit avec nos proches parce que, bien sûr, on ne choisit pas les patients, on sait que la relation sera brève et on n'attend pas le même genre de réciprocité (même s'il y a une réciprocité et que celle-ci peut être importante). C'est un amour pour l'humain en général dans sa condition de souffrant qui le rend vulnérable et en situation de besoin.

D'un côté, le fait d'être malade et souffrant nous ouvre assez facilement une porte pour entrer en contact étroit avec des personnes qui ne nous auraient pas nécessairement attirés dans d'autres situations. La souffrance, la proximité de la mort, l'angoisse poussent à se concentrer sur l'essentiel, et, sur l'essentiel, les humains se ressemblent peut-être plus que sur l'accessoire...

Même si l'on souhaite une relation d'égal à égal et qu'on la vit jusqu'à un certain point, il demeure que le malade est dans une position de faiblesse par rapport à nous parce qu'il est dépendant, qu'il a besoin de nous et que nous paraissons ne pas avoir besoin de lui. C'est pourquoi je crois qu'il faut parfois savoir accepter certaines choses, et en particulier les paroles d'appréciation ou de remerciement venant des patients et de leur famille. Comme humain, il est souvent très désagréable d'être toujours celui qui reçoit. On a besoin, même si on est souffrant ou grandement vulnérable, de sentir que l'on peut aussi donner à l'autre de façon à pouvoir conserver un certain équilibre à la relation.

Pour poursuivre, j'ai pensé partager avec vous quelques réflexions écrites à une amie infirmière il y a quelque temps, à la suite de journées très intenses vécues avec un patient en soins aigus dans un centre hospitalier universitaire. Je n'ai pas revu ce patient après avoir écrit ce texte, mais j'ai su qu'il était décédé trois semaines plus tard.

Lettre à une amie infirmière

22 avril

Je suis revenue de l'hôpital aujourd'hui, toute pleine de ce que j'avais vécu, à la fois heureuse et lourde de cela. J'avais l'impression d'avoir vécu quelque chose de très intense. J'avais le goût de te le raconter à toi, qui connais à la fois cette profession et qui me connais, moi qui essaie d'être une bonne infirmière sans toujours y réussir comme je le voudrais. Aujourd'hui, j'avais le sentiment de vivre ma vie d'infirmière à son meilleur...

J'ai eu comme patient depuis trois jours un homme de 53 ans atteint d'un cancer du poumon opéré il y a 14 ans et qui a été en rémission durant plusieurs années. Puis il a eu une récidive, traitée alors par radiothérapie. Cela lui a laissé des séquelles au niveau cardiaque en plus d'une paralysie du larynx qui fait qu'il n'est pas capable de parler fort : il faut être très près de lui pour l'entendre. Il a subi une intervention chirurgicale importante à l'œsophage il y a une dizaine de jours, par laquelle le chirurgien espérait lui permettre une survie d'un à deux ans. Mais ce n'est pas évident à le voir actuellement, car son état est demeuré précaire à cause de l'insuffisance pulmonaire et cardiaque : il a fait un œdème aigu du poumon, il se fatigue très rapidement, etc. Il a l'air bien mal en point. C'est un homme qui ne demande rien, mais il a actuellement besoin de beaucoup de soins ; il est souffrant, facilement dyspnéique, etc.

Donc, il parle peu, mais j'ai comme l'impression qu'on est très proches. Il ne demande pas, j'offre. Je me retrouve, moi, la fille heureuse, avec mes mains qui touchent, qui lavent, qui frictionnent ce corps d'homme souffrant, avec ma tête, avec mon cœur plongés dans la douleur des autres : la sienne, celle de sa femme, de ses fils qui, eux aussi, regardent, dorlotent. Cet homme est un étranger et, tout à coup, je me retrouve au cœur de sa vie qui se défait, à recevoir ses confidences. Ce matin, il m'a dit :

« Cette fois, je crois bien que ça achève. » Je suis restée hésitante, ne sachant quoi dire. C'est possible, bien sûr, que sa fin soit proche, mais ce n'est pas certain non plus. On n'avait pas parlé de la mort auparavant. On a parlé un peu, un petit peu, à mots couverts, assez pour que je sache qu'il ne veut pas que ça se termine, pas assez pour en apprendre beaucoup plus. J'aurais aimé parler davantage de cela avec lui, mais ce n'était pas facile psychologiquement, je cherchais un peu mes mots ; et ce n'était pas facile non plus à cause de sa difficulté à parler, car cela le fatigue beaucoup et je dois le faire répéter souvent. Par contre, j'ai eu l'impression que ces quelques mots ont donné de la profondeur à tous les gestes, à tous les autres mots de la journée.

J'étais, je suis au cœur de la vie, au cœur de la mort. Je ne connais pas cet homme mais, en même temps, il se passe quelque chose de très fort, de fascinant : c'est toute l'intensité de la vie et de la douleur humaine qui se jouent là et en même temps. C'est un peu l'illustration que d'humain à humain on peut se rencontrer très profondément sans s'être connus auparavant. Je sais qu'il apprécie, il le dit un peu, il le manifeste aussi par un sourire, un clin d'œil. Et moi, j'aurais envie d'être proche, de pouvoir être plus douce, d'avoir les mains et le cœur qui caressent pour apaiser la douleur de ce corps d'homme épuisé par la maladie.

Drôle de métier que celui-là, drôle de personne que moi-même, sans doute. J'ai hâte à demain pour retourner travailler. C'est peut-être trop s'attacher à un patient, je m'en fous. Je sais que je peux me faire mal, je sais que dans quelques jours je ne travaillerai plus avec lui, mais j'espère que je lui aurai donné ce que j'avais à lui donner. Je sais aussi que j'aurai vécu les plus beaux moments qu'il est parfois donné de vivre dans cette profession : le cœur-à-cœur, à travers la douleur et la maladie. Et cela, tu es capable, toi, de le comprendre.

La douleur profonde, les moments charnières où on oscille comme lui entre la vie et la mort me donnent à moi un sentiment d'intensité, la conviction qu'il faut aller au fond des choses, qu'il faut vivre la vie dans son aujourd'hui, qu'il faut aimer au présent, vivre dans l'immédiat, car demain ne nous appartient pas. Le bonheur que j'ai aujourd'hui en abondance, dans la plus grande injustice par rapport à tant d'autres, ce bonheur ne m'est pas garanti pour demain, ni même pour dans quelques minutes. J'ai la conscience profonde de la fragilité de la vie de la personne humaine et des gens que j'aime en particulier, je ressens vivement la fragilité de mon bonheur. Et, quand je vis des moments de grande intensité comme aujourd'hui, je voudrais rester dans cette intensité, aller au fond des choses, au cœur des gens, mais il y a le quotidien qui nous tire, nous suce, nous arrache sans cesse à cette intensité, cette profondeur que j'aimerais conserver et alimenter. Mais l'être humain a, semble-t-il, de la difficulté à vivre trop longtemps dans l'intensité. C'est un peu pour cela que j'ai décidé de t'écrire ce soir, car il faut le faire lorsqu'on a le cœur qui déborde, sans cela l'inspiration ne revient pas nécessairement.

24 avril

Deux jours ont passé, qui furent deux belles journées de travail, pleines et fatigantes mais aussi chargées de sens. À travers la pénurie de mots, il y a eu des gestes et des regards qui disent la douleur, la fatigue, la lassitude mais aussi l'empathie, l'encouragement, et sûrement une certaine tendresse.

J'avais pensé à tout cela avant-hier en t'écrivant, mais je me suis quand même sentie prise au dépourvu hier, quand il m'a dit : « Comment pourrais-je jamais te remettre tout ce que tu m'as donné ? » Je suis restée surprise, puis j'ai répondu que, dans la vie, on ne donnait pas nécessairement à ceux dont on a reçu, que, moi, je reçois et recevrai d'autres personnes quand ce sera mon tour d'être malade. J'ai dit que c'était mon travail et que je le faisais avec plaisir. Je voulais lui dire aussi que ce contact avec lui m'avait beaucoup apporté, qu'il me permettait de sentir que des personnes pouvaient se rejoindre sans se connaître vraiment. J'essayais de dire un peu la richesse que je sentais dans cette relation, ce cœur-à-cœur dans la douleur, mais sans employer ces mots… Cependant, je ne réussissais pas à m'exprimer aussi bien que je l'aurais voulu.

Je repensais à cela par la suite, m'interrogeant sur le fait de lui exprimer ainsi ce que je ressentais : on n'est pas très habitué à dire ce genre de choses aux patients… Mais je pensais alors à deux livres que j'avais lus l'an dernier, « La transparence de soi » de Sydney Jourard et « L'amour ultime » de Johanne de Montigny et Marie de Hennezel, et je me disais : « Pourquoi ne pourrais-je pas exprimer à cet homme qu'il n'est pas seulement quelqu'un qui reçoit de moi, qu'il est quelqu'un que j'apprécie et que cette relation m'enrichit moi aussi ? » J'ai un peu essayé de le lui dire, mais je ne crois pas avoir bien réussi à le faire ; j'aurais peut-être été davantage prête aujourd'hui.

Ce matin, il m'a dit : « Je suis tanné. »[1] Évidemment, c'est une petite phrase que l'on dit bien souvent, mais dans ce contexte, dite par une personne qui ne se plaint pas et qui ne demande rien, ça prend une autre signification. J'ai cherché quoi répondre avec les mots, avec les yeux, avec le cœur, mais il vaut peut-être mieux ne pas trop parler… Comment pourrais-je savoir ce que représente cette douleur, cet épuisement, cette lutte pour survivre à travers les longues heures d'une nuit presque sans sommeil, après la journée d'hier qui avait été très fatigante à cause de déplacements répétés pour d'interminables examens ?

J'aurais aimé parler davantage avec lui, mais c'est parfois difficile : pour lui parler, il me faut presque être immobile pour l'écouter de très près, en le regardant. Et, même si je passe beaucoup

---

1. J'en ai assez

de temps avec lui, je ne suis pas souvent immobile ; je suis presque toujours en train de manipuler un tube, une seringue, une débarbouillette et obligée de regarder ce que je fais.

Je fais un lien avec une patiente d'une quarantaine d'années que j'avais soignée durant plusieurs jours, il y a quelques années. Elle était entrée à l'hôpital pour un problème d'œdème aux jambes et s'était fait dire, après une série d'examens, qu'elle avait un cancer du colon avec des métastases au foie, qui lui laissait bien peu de temps à vivre. Elle est morte en effet moins de deux mois plus tard. J'avais aimé cette patiente-là qui n'était pas réellement le genre de personne avec laquelle j'aurais « cliqué » en temps normal. Mais là, oui, il y avait eu une bonne relation, peu extériorisée sans doute, mais je suis restée marquée par le temps passé avec cette femme qui, elle aussi, parlait peu. Mais de temps à autre, elle m'entrouvrait la porte et me laissait découvrir l'intensité de son désarroi et de sa souffrance devant l'imminence de la mort.

Je suis donc peut-être capable de réussir à communiquer avec ces patients souffrants mais peu bavards, et j'apprécie ce contact avec eux. Et tant pis pour moi si, parfois peut-être, je m'attache trop et si j'ai un peu de peine par la suite. Et tant pis aussi pour le soi-disant professionnalisme...

Tu connais Marie-Françoise Collières ? Moi, je l'ai découverte l'an dernier, et j'aime beaucoup sa façon de parler des soins infirmiers comme des actes pour promouvoir la vie, pour cultiver ce qui donne sens à la vie, car à quoi bon essayer de guérir si on ne nourrit pas en premier ce qui donne sens à la vie de la personne ? J'aime ce soin-là et, cette semaine, je crois avoir eu l'occasion de le vivre un peu en soignant un homme aux multiples tuyaux mais surtout au cœur souffrant à l'intérieur de ce corps affaibli.

25 avril

Qui donne? Qui reçoit? Quand il y a rencontre profonde entre deux personnes, les deux s'en trouvent enrichies. Je crois que le rôle professionnel a des limites qu'il faut parfois transgresser pour laisser s'exprimer l'humain, tout simplement. Comme soignante, je dois offrir un service de qualité à toutes les personnes dont j'ai la charge. Cependant, il est évident que l'on n'est pas capable de rencontrer profondément tout le monde, pour bien des raisons : parce qu'on est peu attiré par quelqu'un, parce qu'on ne veut pas se mettre personnellement en jeu dans une relation, parce que l'autre ne veut pas nous laisser pénétrer dans son univers, etc. Mais, quand l'autre nous laisse entrer dans son intimité, quand on accepte de s'ouvrir, quand certaines affinités se rencontrent, il peut se vivre quelque chose de très riche, même si les personnes se connaissent peu.

Qui donne? Qui reçoit? Si l'autre me donne la clé, s'il m'ouvre la porte et me laisse m'approcher de sa douleur, si je me laisse interpeller par ses mots, par son regard, par son silence, si j'accepte de partager un peu le chemin douloureux qu'il est en train de faire, je reçois moi aussi. J'apprends, je m'enrichis, je vis pleinement comme personne. Pourquoi faudrait-il laisser croire qu'on est seulement des professionnels qui donnent alors que les patients reçoivent? Le mouvement ne serait-il pas dans les deux sens?

Permettre à quelqu'un d'approcher et de toucher son corps, ce n'est pas nécessairement évident. Par la force des choses, la maladie oblige souvent à vivre une certaine dépendance. Mais il ne devient pas facile pour autant d'accepter les regards, les touchers de l'autre sur son corps, surtout quand celui-ci est marqué par les signes de la maladie. Ouvrir la porte de l'âme, laisser voir ou exprimer sa lassitude, ses peurs, son chagrin, ce n'est pas facile non plus. Bien sûr, le degré de difficulté varie d'une personne à l'autre : certains sont plus facilement enclins à partager leurs sentiments ou à demander de l'aide. D'autres cherchent à conserver davantage leur intimité et leur indépendance.

Soigner, ce n'est pas en premier s'occuper d'un paquet de tubes qui peuvent parfois être essentiels à la guérison de quelqu'un. Soigner, c'est avant tout être à l'écoute d'une personne dans sa globalité, dans son corps malade, mais aussi, en même temps, bien souvent, dans son cœur, dans son âme en souffrance. Le soin est probablement d'autant meilleur qu'il sera rencontre de deux personnes qui vont faire ensemble un bout de chemin à la poursuite d'un but commun. Mais le masque professionnel est peut-être parfois un obstacle à une rencontre plus profonde des personnes, et les tubes sont trop souvent un élément qui accapare l'attention qui devrait être dévolue à la personne entière.

Je crois qu'une vraie rencontre c'est toujours un cadeau pour les personnes qui la vivent, un temps fort dans la vie, quels que soient les rôles de l'un ou de l'autre et quel que soit le contexte. On oublie peut-être trop de le dire qu'il y a réciprocité réelle et partage enrichissant lorsqu'on accompagne quelqu'un sur un chemin difficile. Quel que soit celui qui fait le premier geste, si les mouvements s'accordent, si chacun accepte d'ouvrir d'une certaine façon sa porte à l'autre, les deux en sortent grandis.

C'est peut-être plus facile, moins engageant d'être seulement celui qui donne sans s'impliquer vraiment personnellement dans la relation. C'est pourtant bien désagréable, dans une relation, d'avoir l'impression de n'être que celui qui reçoit : on se sent diminué, faible, dépendant. Accepter la réciprocité, c'est accepter une certaine fragilité, une certaine vulnérabilité, c'est toujours un peu prendre le risque d'avoir mal. Je ne vois pas pourquoi on accepte cette réalité en pédiatrie et en soins palliatifs tandis qu'on la refuse aux autres malades. L'enfance et l'approche de la mort sont-elles les seules à nous donner le droit, comme professionnels, de nous attacher ? Non, je ne suis pas d'accord. C'est d'abord comme personne humaine, puis comme professionnelle que je m'approche de chaque patient. Et c'est dans le présent qu'il faut vivre, demain ne m'appartient pas. Ce que j'ai à faire de bon, c'est aujourd'hui qu'il me faut le faire.

En fait, je suis certaine qu'on est deux à donner et à recevoir...

Références

Collières, Marie-Françoise (1992), *Promouvoir la vie* ; Paris, InterÉditions

de Montigny Johanne, de Hennezel Marie (1990), *L'amour ultime*, Stanké

Jourard Sydney (1972), *La transparence de soi*, Sainte-Foy, Éditions Saint-Yves

Colette Soulard, infirmière licenciée • La Maison Michel Sarrazin •
Téléphone : (418) 688-0878, poste 232 • Télécopieur : (418) 681-8636 •
Courriel : soins@lmms.qc.ca

Soigner le malade confus

Colette Soulard, infirmière

Les problèmes cognitifs se rencontrent fréquemment chez les personnes atteintes de cancer en phase terminale. Selon les études, la prévalence de délirium varie entre 39 % et 85 %. Ces problèmes provoquent beaucoup d'angoisse et de crainte tant chez le malade que chez les proches qui l'accompagnent. Au cours des trois dernières années, La Maison Michel Sarrazin a développé une nouvelle approche en ce qui a trait au dépistage des troubles cognitifs et au diagnostic du delirium chez les malades ainsi qu'en ce qui concerne le soutien à offrir à leurs proches.

Cet article décrit sommairement, en première partie, les projets de recherche qui ont permis de développer cette nouvelle approche.[2] En deuxième partie, les impacts positifs de ces projets sur les soins infirmiers auprès des malades confus seront soulignés.

Recherches

Le delirium chez les patients en phase terminale de cancer : une étude pilote[3]

Au printemps 1997, l'équipe de recherche de La Maison Michel Sarrazin obtenait une subvention de l'Institut national du cancer du Canada pour un projet de recherche intitulé : *Le delirium chez les patients en phase terminale de cancer : une étude pilote.* Ce projet visait deux objectifs :

1. élaborer une version française des deux instruments suivants :

   a. le Confusion Rating Scale (CRS), un instrument pour le dépistage du delirium[4];

   b. le Confusion Assessment Method (CAM), un instrument pour le diagnostic du delirium ;[5]

2. intégrer dans la routine des soins infirmiers d'un centre de soins palliatifs (La Maison Michel Sarrazin, unité de 15 lits) une procédure pour le dépistage quotidien, le diagnostic précoce et la surveillance continue des symptômes de delirium.

Dans le cadre de cette étude, le personnel infirmier de La Maison Michel Sarrazin a reçu une formation pour utiliser une grille de dépistage des symptômes de confusion basée sur l'observation du comportement du patient.[6] La grille est complétée à chaque quart de travail sur une feuille prévue à cet effet insérée au dossier du malade. Un malade est considéré positif au dépistage lorsqu'il présente un total de deux ou plus sur cette échelle. La première fois que le malade obtient ce résultat, l'infirmière de recherche le rencontre pour effectuer une entrevue diagnostique qui permet de confirmer ou d'exclure la présence de delirium. Pour ce faire, elle utilise un instrument nommé le CAM qui lui permet d'observer certains éléments tels que : l'attention, le comportement psychomoteur, la cohérence du discours, le niveau de conscience, le changement aigu de l'état mental et l'altération du cycle éveil-sommeil. De plus, l'infirmière de recherche s'entretient avec le malade et lui pose quelques questions portant sur l'orientation, la mémoire et la concentration, inspirées du Blessed Orientation, Memory Concentration Test (BOMC), (Blessed, Tomlinson, and Roth, 1968 ; Katzman et al., 1983)[7]. Pour compléter son évaluation, l'infirmière de recherche s'informe auprès de la famille et de l'infirmière soignante du comportement du malade. À partir de ces données, elle remplit l'algorithme diagnostique du CAM[8]. Les résultats sont transmis au médecin pour évaluation et intervention, si nécessaire.

Delirium : stratégie d'intervention éducative[9]

Le but de cette recherche était d'alléger le fardeau suscité par les manifestations de delirium en développant une intervention éducative adaptée aux besoins des personnes accompagnant un malade en phase terminale de cancer. Ce projet visait deux objectifs :

développer un dépliant d'information sur le delirium destiné aux proches des patients en phase terminale de cancer ;

développer une stratégie d'intervention de soutien adaptée aux besoins des proches.

Dans un premier temps, nous avons consulté 20 membres de familles accompagnant un malade en phase terminale ; dix-neuf ont répondu qu'ils souhaitaient recevoir de l'information sur le delirium. Nous avons donc préparé un dépliant expliquant ce qu'était le delirium, ses principales causes et les symptômes les plus fréquents, le traitement et les attitudes à adopter avec un malade qui présente des problèmes cognitifs. Nous avons remis ce dépliant à vingt autres membres de familles, leur demandant de nous faire part de leurs commentaires. Leur principale suggestion était de pouvoir disposer d'informations écrites fiables, et surtout de profiter d'échanges verbaux afin de sentir, tout au long de la maladie, une présence qui les accompagne et les renseigne au fur et à mesure. À la suite de ces observations, l'équipe de recherche a préparé un plan comprenant la collecte des données à l'admission du malade quant à son état cognitif actuel et à celui des dernières semaines, ainsi qu'une intervention éducative de soutien à réaliser auprès des proches dans les jours suivant l'admission du malade. Cette intervention est adaptée aux besoins de chaque proche, avec la possibilité de lui remettre le dépliant s'il le désire.

Le personnel infirmier a reçu une formation sur la façon de procéder autant pour la collecte des données que pour l'intervention de soutien. Il est primordial, pour nous, d'adapter notre intervention aux besoins de chaque proche. Le dépliant est ensuite offert à ceux et celles qui le désirent. En février 1999, le projet commençait. De février à juillet 1999, soixante membres de familles ont accepté d'être contactés, environ quinze jours après le décès de leur malade, pour une brève entrevue téléphonique.

Lors de cet entretien, nous les avons interrogés sur leurs réactions devant le delirium, sur l'information et le soutien reçus. Les réactions recueillies étaient de l'ordre de l'émotion et des perceptions. Nous avons aussi accueilli leurs suggestions. Nous présentons ci-dessous les réactions, les appréciations sur l'information reçue et les suggestions faites.

Réactions

« Je ressentais beaucoup de tristesse, car je ne reconnaissais plus ma mère ; je ne pouvais plus communiquer avec elle. »

« J'ai eu peur, car il était devenu agressif et je ne savais pas jusqu'où cela irait. »

« Je trouvais cela normal à cause de sa maladie ; ça ne m'inquiétait pas. »

« J'étais content, car pour moi, en étant confus, mon père n'avait pas connaissance de sa maladie. »

« J'ai paniqué ; je croyais qu'elle devenait folle. Je me sentais démunie, sans ressources. »

« J'étais gêné de voir mon père dans cet état. J'essayais de cacher la réalité le plus possible pour que le personnel ne s'en rende pas compte. »

« J'étais frustrée de ne plus pouvoir communiquer. »

« J'avais peur ; je croyais qu'elle souffrait de la maladie d'Alzheimer. »

« Je suis demeuré calme, même si j'étais inquiet. »

Appréciations sur l'information reçue

« J'ai apprécié le contact humain. »

« L'information est arrivée trop tard. J'aurais aimé recevoir les renseignements au début de la maladie, lorsque mon frère a commencé son traitement à la morphine. »

« Il est bon d'avoir un dépliant auquel la famille peut se référer, mais l'information donnée par une membre du personnel est primordiale pour échanger et recevoir du support. »

« C'est très rassurant, car, lorsque ça se produit, on est moins démuni. »

« Mon père n'en a jamais fait, mais j'étais contente de savoir comment agir si une telle chose devait survenir. »

« Ce dépliant ne m'a pas été utile ; je ne l'ai pas lu, je ne pouvais me concentrer et j'étais sous le choc. »

Un petit nombre de personnes seulement ont dit qu'elles préféraient ne pas être informées, sauf si leur malade présentait des problèmes confusionnels. Celles-ci disent : « Pourquoi anticiper quelque chose qui n'arrivera peut-être jamais ? C'est une façon d'occasionner un stress inutile. »

Suggestions

Une demande nous a été maintes fois répétée : que l'information soit disponible dès le début de la maladie du patient. De plus, les proches nous invitent à redire fréquemment nos conseils tout au long de la maladie, en nous expliquant que les moments de forte émotion les empêchent d'intégrer sur le coup tous les renseignements reçus. Les familles suggèrent que deux types d'information écrite leur soient offerts : des renseignements concis et précis sous forme de dépliant et des données plus approfondies (vidéocassettes, articles, livres, etc.) pour les personnes qui en sentiraient le besoin. La Maison Michel Sarrazin devrait aussi, dans la mesure du possible, organiser une rencontre de famille afin que tous les intéressés puissent disposer des mêmes renseignements et échanger avec le personnel. Au début du projet, la majorité des familles préféraient que le malade n'en soit pas informé. Présentement, les proches semblent de plus en plus ouverts à l'idée d'en parler au malade, surtout si l'information est donnée au début de la maladie. « Comme cette maladie lui appartient, pourquoi cacher cet aspect au malade ? », disent-ils. Il est à noter que toutes les demandes nous envoient le même message : Soyez à l'écoute de nos besoins, restez près de nous, rassurez-nous, n'hésitez pas à nous redire certaines informations.

Impacts sur les soins infirmiers

À mon arrivée à La Maison Michel Sarrazin en 1987, j'avais été surprise de constater que plusieurs malades présentaient des problèmes confusionnels. Il arrivait souvent, en effet, que le malade devienne agité, confus, ne reconnaisse plus sa famille, tienne des propos incohérents, fasse des gestes inadéquats comme essayer de se lever par le pied du lit ou vouloir arracher sa sonde, ou qu'il devienne agressif. Notre manque d'expérience et de connaissances dans ce domaine nous faisait réaliser qu'il nous faudrait trouver des solutions afin d'améliorer notre approche.

La famille qui vivait ce problème réagissait de différentes façons : elle était ou bien gênée devant le comportement d'un être cher ou inquiète de ne pouvoir gérer adéquatement cette situation. Parfois, la famille était soulagée de voir le malade confus, pensant qu'il n'en avait pas conscience et croyant qu'il lui serait moins pénible de vivre ainsi la dernière étape de sa vie. Ce n'est que plus tard que nous avons remarqué que le malade en était peut-être conscient, puisqu'il nous racontait, lorsqu'il redevenait lucide, certains passages de sa période confusionnelle.

Grâce à l'engagement et à la rigueur du personnel infirmier en ce qui a trait au dépistage des troubles confusionnels chez le malade, nous pouvons déceler très tôt un delirium, ce qui permet au médecin d'intervenir plus rapidement. Le malade voit sa condition s'améliorer en devenant moins confus, moins agité, en devenant capable de communiquer adéquatement avec ses proches et de mourir dans des conditions plus respectueuses de sa dignité. Sachant que les intervenants surveillent l'état cognitif du patient, les proches se sentent moins inquiets devant la confusion de leur malade. L'approche du personnel infirmier envers le malade confus s'est, elle aussi, améliorée. À cause des connaissances et des compétences acquises, le personnel infirmier aborde ces malades avec moins d'anxiété.

L'intervention de soutien est bien accueillie par les proches du malade. Si ce dernier a présenté quelques problèmes confusionnels avant son arrivée à La Maison Michel Sarrazin, la famille apprécie beaucoup recevoir de l'information et du soutien dès l'admission. Par contre, si le malade a toujours été très lucide, il est préférable, d'après notre expérience, d'attendre quelques jours avant d'aborder avec les proches leurs besoins d'information sur le delirium.

Depuis l'implantation de l'intervention de soutien auprès des proches, nous remarquons qu'en général les proches semblent moins anxieux devant un épisode de confusion chez le malade. Se sentant mieux soutenus par le personnel infirmier, leur attitude devant le malade confus devient plus adéquate.

Cette approche fait maintenant partie intégrante de nos soins infirmiers. Nous utilisons de façon routinière les instruments de dépistage et de diagnostic et nous réalisons systématiquement l'intervention de soutien auprès des proches. Pour implanter une telle approche dans une unité de soins palliatifs, il est nécessaire qu'une formation adéquate soit donnée à tout le personnel.

Conclusion

Cette nouvelle approche a changé de façon importante nos attitudes devant un malade confus. Par une intervention rapide, nous permettons à certains malades de retrouver leur lucidité et de reprendre contact avec leurs proches.

En ce qui a trait à l'intervention de soutien auprès des proches, nous sommes maintenant convaincus de la nécessité de toujours vérifier leurs besoins afin de bien adapter notre intervention.

L'être humain doit être au centre de nos préoccupations. Si la compétence des intervenants est importante, leur compassion est primordiale. Imaginons que nous vivons cette douleur d'avoir un proche en delirium – tellement d'émotions nous traversent. C'est à ce moment que l'appui, la chaleur prennent toute leur dimension. Malgré tous les progrès technologiques, rien ne pourra remplacer une présence humaine.

Bibliographie

Fainsinger, R., Miller, M. J., Bruera, E., Hanson, J., and Maceachern, T. (1991). Symptom control during the last week of life on a palliative care unit. *Journal of Palliative Care*, 7(1), 5-11.

Massie, M. J., Holland, J., and Glass, E. (1983). Delirium in terminally ill cancer patients. *American Journal of Psychiatry*, 140(8), 1048-1050.

Gagnon, P., Allard, P., Mâsse, B., and de Serres, M. (in press, accepted July 14th 1999). Delirium in terminal cancer : A prospective study using daily screening, early diagnosis, and continuous monitoring. *Journal of Pain and Symptom Management.*

Williams, M. A. (1991). Delirium/acute confusional states : Evaluation devices in nursing. *International Psychogeriatrics*, 3(2), 301-308.

Williams, M. A., Ward, S. E., and Campbell, E. B. (1988). Confusion : Testing versus observation. *Journal of Gerontological Nursing*, 14(1), 25-30

Inouye, S. K., van Dyck, C. H., Alessi, C. A., Balkin, S., Siegal, A. P., and Horwitz, R. I. (1990). Clarifying confusion : The confusion assessment method. A new method for detection of delirium. *Annals of Internal Medicine*, 113(12), 941-948.

Blessed, G., Tomlinson, B. E., and Roth, M. (1968). The association between quantitative measures of dementia and of senile change in the cerebral grey matter of elderly subjects. *British Journal of Psychiatry*, 114(512), 797-811.

Katzman, R., Brown, T., Fuld, P., Peck, A., Schechter, R., and Schimmel, H. (1983). Validation of a short Orientation-Memory-Concentration Test of cognitive impairment. *American Journal of Psychiatry*, 140(6), 734-739.

1. Voir Bibliographie.

2. Il est à noter que le Comité d'éthique de La Maison Michel Sarrazin a donné son accord pour la réalisation de ces recherches et a soutenu les projets.

3. Chercheurs : Pierre Allard, Pierre Gagnon, Benoît Mâsse. Cette recherche a fait l'objet d'une publication ; voir Bibliographie.

4. Voir Bibliographie.

5. Voir Bibliographie.

6. Voir annexe I.

7. Voir Bibliographie.

8. Voir Annexe II.

9. Chercheurs : Pierre Allard, Serge Dumont, Pierre Gagnon.

Annexe 1

Échelle d'évaluation de la confusion (C.R.S.)

Grille

Date (mois, jour)												
	N	J	S	N	J	S	N	J	S	N	J	S
Désorientation												
Comportement inapproprié												
Communication inappropriée												
Hallucinations/Illusions												
Score par période												
Si N.E., écrire : a=sommeil naturel ; b=sédation induite ; c=stupeur ou coma ; d=autres												

Entrevue diagnostique (C.A.M.) effectuée le _____ par _____

Résultat _____

Cotation

1. Notez l'absence ou la présence des quatre manifestations comportementales de confusion à la fin de chaque changement d'équipe de travail, aux huit heures.

2. Considérez que l'équipe de nuit commence à minuit.

3. Utilisez les définitions suivantes.

   a. **Désorientation :** manifestations verbales ou comportementales indiquant une mauvaise orientation dans le temps et dans l'espace, ou des perceptions erronées par rapport aux personnes dans l'environnement.

b. **Comportement inapproprié :** comportement inapproprié pour l'endroit et/ou pour la personne ; par exemple arracher ses sondes ou ses pansements, essayer de sortir du lit alors que ceci est contre-indiqué, ou des comportements similaires.

c. **Communication inappropriée :** communication inappropriée pour l'endroit et/ou pour la personne ; par exemple incohérence, état d'incommunicabilité, discours inintelligible ou n'ayant aucun sens.

d. **Illusions / hallucinations :** voir ou entendre des choses qui ne sont pas réellement présentes ; distorsion dans la perception des objets.

4. Cotez chacune des quatre manifestations comportementales comme suit :

0 = comportement absent durant la période de travail.

1 = comportement présent quelques fois pendant la période de travail, mais peu intense.

2 = comportement présent pendant la période de travail, et prononcé soit en durée soit en intensité (toute autre situation que 0 ou 1).

On inscrit la cotation N.E. seulement s'il a été impossible d'évaluer le comportement du patient durant **toute la durée du quart de travail**. Lorsqu'on inscrit N.E., on doit en mentionner la raison :

A = sommeil naturel

B = sédation induite par la médication

C = stupeur ou coma

D = autre raison

Annexe 2

Algorithme diagnostique du confusion assessment method (C.A.M.)

Critère 1

Début aigu et évolution fluctuante

Ce critère est habituellement examiné avec un membre de la famille ou une infirmière et est évalué à partir des réponses aux questions suivantes : Y a-t-il évidence d'un changement récent dans l'état mental du patient comparativement à son état habituel ? Est-ce que le comportement (anormal) a fluctué pendant le jour, c'est-à-dire qu'il a eu tendance à apparaître et à disparaître, ou à augmenter et à diminuer en intensité ?

Présent _____   Absent _____

Critère 2

Inattention

Ce critère est évalué à partir de la réponse à la question suivante : Est-ce que le patient a eu de la difficulté à diriger son attention (par exemple, a-t-il été facilement distrait ou a-t-il eu de la difficulté à suivre ce qui a été dit) ?

Présent _____   Absent _____

Critère 3

Pensée désorganisée

Ce critère est évalué à partir de la réponse à la question suivante : Est-ce que la pensée du patient a été désorganisée ou incohérente (par exemple, conversation décousue et hors de propos, suite d'idées illogiques ou manquant de clarté, changements imprévisibles d'un sujet à l'autre) ?

Présent _____   Absent _____

Critère 4

Altération du niveau de conscience

Ce critère est évalué à partir de toute autre réponse que « vigilance normale » à la question suivante : En général, comment coteriez-vous le niveau de conscience de ce patient (vigilance normale, hypervigilant [alerte de façon excessive], léthargique [somnolent, facilement éveillable], stuporeux [difficile à éveiller] ou comateux [impossible à éveiller]) ?

Présent _____   Absent _____

Delirium

Présent _____

Absent _____

Date _____

Infirmière _____

*Le diagnostic de delirium par le C.A.M. exige la présence des critères 1 et 2 , de même que la présence du critère 3 et/ou du critère 4.

Johanne Morin, B. Pharm., M. Sc. • Pharmacienne-clinicienne •
Hôpital Laval • Présidente du Regroupement des pharmaciens en soins
palliatifs • APES • Courrier électronique : johanne.morin@pha.ulaval.ca

Le pharmacien en soins palliatifs :
un rôle en évolution

Johanne Morin, B. Pharm., M. Sc.

L'offre des soins aux patients en phase terminale peut être complexe et nécessite la participation de plusieurs intervenants. Ces derniers unissent leurs forces et leur savoir afin d'adoucir les souffrances des patients dans cette dernière étape de vie. Par ses connaissances pharmacologiques, le pharmacien est un véritable allié pour atteindre ce but, puisque la pharmacothérapie nécessaire pour soulager les patients en phase terminale est variée et complexe. La multitude de nouvelles données cliniques publiées sur les médicaments, le nombre grandissant d'interactions médicamenteuses et les nombreux effets indésirables potentiels justifient, à eux seuls, la contribution unique du pharmacien à l'équipe traitante.

Le pharmacien du début du siècle était d'abord un chimiste, puis il est devenu un apothicaire. Traditionnellement, la pharmacie était une profession orientée vers le produit, c'est-à-dire le médicament. Maintenant, la formation offerte aux pharmaciens est davantage clinique et orientée directement vers les besoins du patient. Le concept des soins pharmaceutiques est né. Ceux-ci sont définis comme étant « l'ensemble des actes et services que le pharmacien doit procurer à un patient, afin d'améliorer sa qualité de vie par l'atteinte d'objectifs pharmacothérapeutiques de nature préventive, curative ou palliative. » (Ordre des pharmaciens du Québec). L'application de ce concept procure au pharmacien un rôle d'intervenant privilégié et indispensable à l'intérieur des équipes multidisciplinaires. Les soins pharmaceutiques sont basés sur une relation établie entre le pharmacien et le patient, au même titre que le rapport médecin-patient.

Plusieurs pharmaciens sont concernés par les soins palliatifs au Québec, et leur niveau d'engagement est variable. Certains assurent seuls la consultation en soins palliatifs, puisque aucune équipe n'existe dans leur milieu, alors que d'autres ont la chance de faire partie d'équipes multidisciplinaires bien structurées. Au quotidien, le pharmacien hospitalier rencontre des patients afin d'établir une relation de confiance avec ceux-ci et de recueillir différents renseignements nécessaires afin d'optimiser leur pharmacothérapie. Pour ma part, je considère que l'analyse d'un dossier pharmacologique sans rencontre préalable avec le patient ne peut être complète. En effet, cette rencontre permet de bien préciser les besoins et les attentes du patient et ainsi d'apporter des suggestions plus adéquates pour ce dernier. Rencontrer un patient et entendre ses peurs concernant une médication nouvellement introduite, par exemple de la morphine, permet de comprendre sa crainte devant cette médication et d'individualiser les explications. En fonction des attentes et des besoins des patients, mes explications seront plus adaptées à chacun.

Souvent, lors de ces rencontres, il est possible de détecter des effets indésirables non déclarés, une non-observance inavouée ou une inefficacité du médicament récemment introduit. Avec la pharmacopée actuelle, de nombreuses interactions médicamenteuses existent, et le pharmacien détient une expertise indispensable afin de détecter et de juger de leur implication clinique. Plusieurs de ces interactions sont théoriques, alors que d'autres sont très dangereuses. Le pharmacien discutera alors de la situation avec le médecin traitant qui, le cas échéant, modifiera la thérapie afin d'éviter au patient des effets indésirables sérieux ou la perte de l'effet pharmacologique désiré. On doit même questionner le patient sur son alimentation afin d'éviter la perte d'efficacité de certains médicaments. Plusieurs patients confient plus aisément au pharmacien les problèmes qu'ils éprouvent avec les médicaments. Il faut donc profiter de cette confiance et établir une relation privilégiée avec le patient. Les informations recueillies me permettent ensuite de faire des interventions plus éclairées et plus complètes avec l'équipe médicale. Lorsque des communications étroites avec une équipe multidisciplinaire existent, l'atteinte des meilleurs soins possibles est facilement réalisable. Plusieurs pharmaciens doivent apprivoiser les médecins afin de les convaincre que leur collaboration n'a qu'un but : le bien-être du patient. À mon avis, l'expertise spécifique du pharmacien dans l'optimisation du traitement pharmacologique d'un patient est méconnue. Ces échanges sont d'ailleurs qualifiés de fructueux et constructifs par ceux qui les vivent au quotidien.

Le virage ambulatoire amorcé au début des années 90 a provoqué de nombreux changements dans les soins de santé au Québec. Les pharmaciens ont été des intervenants de première ligne dans ce virage, et plus particulièrement en ce qui concerne le maintien des patients à domicile. Engagés d'abord dans le suivi hospitalier, certains pharmaciens ont franchi l'enceinte hospitalière pour offrir leurs services à domicile. Que ce soit pour l'utilisation d'une pompe pour perfusion sous-cutanée, la préparation de médicaments pour la voie parentérale ou un suivi de l'analgésie, le pharmacien s'est rendu disponible au patient et à sa famille. La préparation de grille-horaire ou du pilulier hebdomadaire et la

remise de documents écrits sur les médicaments prescrits en milieu hospitalier ont aussi facilité la compréhension du traitement et favorisé son observance à domicile. Pour ma part, j'ai effectué des visites à domicile qui m'ont permis de découvrir une toute autre dimension de ce que les patients et leur famille peuvent vivre. M'asseoir dans le salon d'une patiente et revoir avec elle les effets de ses médicaments, discuter de ses activités quotidiennes par rapport à sa douleur ou de sa prise d'entredoses et revoir l'horaire de sa médication sont des activités nouvelles pour moi, mais tellement enrichissantes sur le plan professionnel et humain. Une seule de ces visites me permet de mieux connaître la personne à qui j'offre des soins pharmaceutiques, comparativement à plusieurs rencontres faites en milieu hospitalier. Ce contact à domicile est plus efficace qu'un simple appel téléphonique. Malheureusement, il faut souvent se contenter de ce seul appel ! À domicile, je peux faire des suggestions pratiques immédiatement au sujet de la conservation des médicaments, de la gestion du pilulier, et même, dans certains cas, faire le tri des médicaments périmés ou inutiles. Sur place, lorsque nécessaire, un appel au médecin traitant permet de modifier immédiatement une prescription ou un traitement, par exemple augmenter le débit de la perfusion sous-cutanée. Je donne en même temps les explications entourant ces modifications au patient et à sa famille. Au cours d'une de ces visites, j'ai aussi réussi à obtenir une excellente recette de biscuits!

La rapidité du changement de notre système de santé a créé des besoins immenses à combler par le personnel des CLSC[1] et des attentes élevées de la part des familles. Le grand besoin d'information des infirmières de CLSC et des pharmaciens communautaires[2] a nécessité beaucoup d'échanges entre ces derniers et le pharmacien hospitalier. Nous avons partagé nos connaissances et notre expérience avec les différents intervenants à domicile afin de bonifier les soins aux patients. L'absence de ressources pharmaceutiques dans les CLSC a nécessité ces échanges. On peut prévoir que les CLSC désirant offrir des soins complets aux patients souhaiteront joindre à leur équipe un pharmacien. Le manque d'effectif pharmaceutique étant de plus en plus important, ce souhait pourrait

actuellement être difficilement réalisable.

Le patient à domicile vit des situations et des problèmes bien différents de ceux rencontrés en milieu hospitalier. L'imagination et l'innovation du pharmacien ont souvent été mises à profit pour trouver des solutions à ces problèmes plutôt inusités rencontrés à domicile. Une voie d'administration inhabituelle, l'utilisation de la voie rectale ou vaginale, la préparation de solutions concentrées ou de formes pharmaceutiques non disponibles commercialement se sont souvent révélées des solutions intéressantes aux problèmes rencontrés. Avant l'instauration de l'assurance-médicaments de la RAMQ[3], qui rend maintenant la médication plus accessible pour tous, nous avons souvent réalisé des acrobaties administratives afin de permettre aux patients d'avoir accès aux médicaments prescrits. Il faut se rappeler que la facture mensuelle moyenne d'un patient traité avec opioïde à libération prolongée, des coanalgésiques et des laxatifs dépasse facilement les deux cents dollars.

Dans un système de santé où les patients et leur famille sont souvent laissés à eux-mêmes, le pharmacien du quartier devient lui aussi un intervenant de premier plan. De plus en plus, les pharmaciens communautaires établissent des liens étroits avec leur clientèle, et celle-ci est fidèle à son pharmacien. Ils conseillent les patients et leur famille sur la médication prescrite, les effets attendus, la façon optimale de la prendre, les effets indésirables et les petits trucs pour les prévenir, etc. Ils complètent l'information donnée par le médecin aux patients ou à sa famille, et même parfois donnent l'information initiale. Des aires de confidentialité maintenant obligatoires dans les pharmacies facilitent les échanges entre pharmacien et patient. Certains pharmaciens offrent aussi un service continu, 24 heures sur 24, pour les patients nécessitant des services spécialisés telle l'utilisation d'une pompe à perfusion sous-cutanée. Un plus grand contact de l'équipe traitante avec ce pharmacien communautaire pourrait faciliter les échanges entre les professionnels, et surtout, ultimement, assurer au patient le meilleur suivi possible. Lors du retour à domicile, on utilise de plus en plus un sommaire pharmaceutique détaillé destiné au pharmacien communautaire. Celui-ci y retrouve les principaux diagnostics, les modifications à la pharma-

cothérapie apportées durant l'hospitalisation, les différents problèmes potentiels reconnus ainsi que d'autres renseignements jugés utiles. Ce sommaire est remis au patient qui le remettra à son pharmacien. Le pharmacien communautaire a alors en main des informations cliniques essentielles lui permettant de mieux analyser le dossier du malade et d'en assurer le suivi.

Au cours des dernières années, la publication de bulletins d'information et de guides thérapeutiques par les pharmaciens ont aidé à faire reconnaître la place du pharmacien dans le traitement des patients en soins palliatifs. Le meilleur exemple est le « Guide pratique des soins palliatifs : gestion de la douleur et autres symptômes » publié par le Regroupement des pharmaciens ayant un intérêt pour les soins palliatifs de l'Association des pharmaciens en établissements de santé (APES). Une deuxième édition de ce guide est déjà publiée, et une version anglaise sera offerte dès le printemps 2000. Ce guide est utilisé quotidiennement par plusieurs intervenants de la santé activement engagés en soins palliatifs et dans d'autres secteurs de soins. Le dynamisme de ce regroupement est un bel exemple de collaboration et d'échanges professionnels entre individus œuvrant en soins palliatifs. L'importance des échanges d'information dans ce groupe procure aux pharmaciens une formation continue de première qualité.

Les pharmaciens engagés dans les milieux universitaires offrent aussi des stages en soins palliatifs aux étudiants en pharmacie et donnent des cours dans les facultés de pharmacie. L'enseignement et les stages offerts à ces futurs pharmaciens procurent des connaissances cliniques à cette relève et propagent la philosophie des soins palliatifs. Le contact avec cette clientèle les sensibilise à l'être souffrant et à tout ce qui entoure la mort. Quant à moi, je reçois annuellement six résidents en pharmacie effectuant chacun un stage de formation d'un mois. L'intégration à une équipe travaillant en multidisciplinarité leur permet de faire l'apprentissage de leur rôle professionnel. Certains résidents en pharmacie réalisent également des travaux de recherche en soins palliatifs dans le cadre de leur maîtrise en pharmacie d'hôpital. Les résultats de ces études pourront ultérieurement être utilisés par les professionnels concernés.

Quelle place réserve l'avenir au pharmacien ? Le pharmacien de demain sera présent auprès du patient, interagira avec les équipes traitantes de façon quotidienne et remplira son rôle d'intervenant de premier plan dans la réalisation d'un traitement optimal pour chaque patient.

---

1. Centre local de services communautaires.

---

2. Pharmacien pratiquant en pharmacie privée, hors établissement.

---

3. Régie de l'assurance maladie du Québec.

Jacques T. Godbout • professeur • Université du Québec •
Institut national de la recherche scientifique • INRS – Urbanisation •
Montréal • Télécopieur : (514) 499-4065 •
Courriel : Jacques.Godbout@inrs-urb.uquebec

Bénévolat et soins palliatifs

Texte d'une conférence prononcée
à l'Université Laval, dans le cadre des
« *Conférences Michel Sarrazin* »,
le 22 avril 1999

Jacques T. Godbout, professeur

Qu'est-ce que le bénévolat ? C'est une sorte de don à des inconnus. Mais quelle sorte de don ? Il existe toutes sortes de dons à des inconnus. Le philanthrope donne de l'argent, le héros donne (ou risque de donner) sa vie, le Samaritain donne son manteau et l'hospitalité. On ne parle pas de bénévolat pour autant. Que donne le bénévole ? Le bénévole donne du temps, soit le don de ce qui manque le plus aux individus modernes, selon les sondages.

Le bénévole donne son temps. Il ne le fait pas payer et ne demande rien en retour. En ce sens, le bénévole va contre les valeurs de la société actuelle fondée sur le salaire et sur le profit. « Rappelle-toi que le temps est de l'argent » (Benjamin Franklin). Pour le bénévole, le temps n'est pas de l'argent. Être bénévole, c'est faire mentir Benjamin Franklin… et agacer parfois les syndicats.

Essayons de décomposer ce geste pour en retrouver le sens. Nous tenterons ensuite d'appliquer cette réflexion au bénévolat pratiqué dans le cadre des soins palliatifs.

Deux sujets tabous

Ce qui me frappe d'abord dans la pratique du bénévolat auprès de malades en phase terminale, c'est qu'elle s'inscrit au cœur de deux sujets presque tabous dans la société actuelle, ou qui tendent à être objets de déni, comme disent les psychologues : la mort et le bénévolat.

La mort est un sujet tabou dans la société moderne. Cependant, depuis quelques années, un mouvement existe qui vise à modifier notre attitude. Rappelons tout de même que, dans le cadre de la pensée scientifique, la mort ne signifie rien d'autre que le passage à l'état de cadavre. Elle est réduite à un phénomène physico-bio-chimique. Ce faisant, on procède à une évacuation du sens, à une négation de ce qui est vécu. Dans le cadre de la modernité, on est incapable de penser l'expérience de la mort, que nous allons tous connaître, dans ses multiples aspects : expérience de la perte, de l'abandon ; processus qui conduit à la perte du sens, au sentiment de ne plus pouvoir contribuer, à l'impression d'être devenu uniquement une charge pour les autres. La pensée scientifique a une vision réductrice de l'expérience de la mort.

Je rappelais ce contexte uniquement pour me centrer sur le bénévolat. J'y reviendrai à la fin. Ce qui me frappe, c'est que le bénévolat est aussi quelque chose qui tend à être mal vu par l'esprit moderne. Rien de plus contraire à la société moderne que l'idée de donner du temps. En général, on accepte que le temps soit donné aux intimes seulement. Même à l'intérieur de la famille, on le tolère, certes, mais certains ont tendance à considérer cela anormal et à réclamer, par exemple, un salaire pour la personne qui, dans le ménage, reste à la maison. Et le don du temps à des inconnus est encore plus mal vu. Personne ne penserait critiquer le don d'organe, le don de sang, le don d'objets en cas de catastrophe, mais le don de temps, c'est une autre affaire. La conception de base du libéralisme économique, c'est que tout don de temps est anormal. Tout temps consacré à autre chose qu'à soi-même doit être rémunéré d'une façon ou d'une autre, autrement dit doit être considéré comme un travail, sinon, c'est suspect, on vole des emplois ou on se fait exploiter. Le temps ne peut pas être donné. Pourquoi ? Parce que, alors on ne contribue pas à la croissance. C'est donc du temps perdu ! Un bon citoyen est quelqu'un qui fait augmenter le PNB, sinon, il ne contribue pas à l'augmentation du bien-être de ses concitoyens et augmente le chômage. Or, pour faire augmenter le PNB, il faut qu'une relation sociale passe par l'argent. Il faut que le temps soit de l'argent. Voilà une première raison qui fait que le bénévolat est souvent regardé avec suspicion.

Par ailleurs, l'esprit moderne tend à identifier le bénévolat à la « dame patronesse », et on considère comme un progrès d'être passé de ce modèle à celui des droits et de la justice. On touche alors à une autre critique qui est faite au bénévolat. Le problème n'est plus tellement du côté du donneur, mais de celui qui reçoit. On parle de paternalisme, du caractère humiliant pour celui qui reçoit. Pourquoi ce caractère humiliant ? Parce que, dit-on, le don est unilatéral. Plusieurs tendent d'ailleurs à nier qu'il s'agisse d'un « vrai » don et considèrent que toutes les formes d'altruisme sont des manières déguisées de rechercher son intérêt sous forme de prestige, d'honneur et de contacts qu'on établit en vue de faveurs futures. C'est pourquoi on parle parfois d'hypocrisie à propos de ce type de don qui ne serait qu'en apparence non réciproque.

On en arrive ainsi à un étrange constat : ce qui est considéré dans la plupart des philosophies éthiques de l'humanité comme le sommet du comportement moral – la compassion et le don à des inconnus – est dévalorisé et n'est souvent même pas reconnu comme tel par une certaine pensée occidentale dominée par les sciences humaines, pensée qui nie ainsi ce qui constitue pour de nombreuses personnes la définition même d'un acte moral, soit un acte qui tient compte des autres et pas seulement de soi.

Comme pour la mort, il y a dans la pensée moderne une dénégation du don non réciproque, et par voie de conséquence du bénévolat. La société moderne a eu tendance à vouloir remplacer le bénévolat par la solidarité. Le militant est solidaire de la classe ouvrière, il s'identifie à sa cause, c'est une approche collective, alors que le bénévole vient l'aider. Être solidaire signifie qu'on est tous dans le même panier. C'est en tant que don unilatéral que le bénévolat est une forme de don difficilement acceptable pour les individus modernes. « Ne comptons que sur nos propres moyens » : ce slogan syndical exprime l'essentiel de la démarche solidaire et les raisons pour lesquelles on tend souvent à l'opposer à la philosophie du bénévolat.

L'altruisme

Malgré toutes ces critiques, dont plusieurs, comme on va le voir, sont partiellement fondées, je considère que le bénévolat peut être vu comme une forme supérieure de solidarité. Pourquoi ? D'abord parce que je crois que l'altruisme existe au sens d'un intérêt pour les autres qui n'est pas qu'une forme cachée d'égoïsme, et qui n'est pas non plus que l'obéissance à un devoir. Il existe des actes qu'on fait pour les autres par intérêt, compassion, sympathie, amour, et dans un élan qui ne relève pas seulement du devoir. Citons à ce propos le sociologue français Durkheim : « Le philosophe Kant a essayé [...] de ramener l'idée de bien à l'idée de devoir. Mais c'est une réduction impossible [...] Il faut que la morale nous apparaisse comme aimable [...] qu'elle parle à notre cœur et que nous puissions l'accomplir même dans un moment de passion. En agissant moralement, nous nous élevons au-dessus de nous [...] Il y a quelque chose qui nous dépasse [...] Nous nous arrachons dans quelque mesure à nous-mêmes. »[1] (Durkheim 1992, p. 615-616) Cette description me semble correspondre à l'expérience du don telle que décrite par les bénévoles que nous avons eu l'occasion de rencontrer.

En outre, il y a un ingrédient essentiel dans l'action bénévole, élément qui n'est pas présent dans toutes les formes de solidarité. Cet élément, c'est la liberté. Cette liberté est inhérente au bénévolat. La Fédération des centres d'action bénévole du Québec définit avec raison l'action bénévole comme un geste « libre et gratuit ». Or, avec la solidarité, on peut passer de la liberté à la contrainte. Au nom de la solidarité, on peut contraindre légalement, mais jamais au nom du don. La solidarité obligée est encore de la solidarité, le bénévolat obligé n'est plus du bénévolat. C'est sous cet aspect que la solidarité peut s'opposer au don. Pour mettre cela en évidence, prenons l'exemple du don d'organe. En France, c'est au nom de la solidarité qu'on a fait une loi qui diminue beaucoup la liberté du donneur. Toute personne est considérée *a priori* comme un donneur, et il faut s'inscrire dans un registre pour signifier qu'on ne veut pas donner. Ce faisant, on cesse d'en faire un don et on passe du don à la solidarité, comme l'écrit Hottois : « Même si le prélèvement doit être fondé [...] sur le principe de gratuité et non sur celui de l'économie marchande, les prélèvements sur cadavres ne s'appuient plus sur une logique de don, mais de solidarité. » La solidarité permet de faire des lois qui rendent le don obligatoire, autrement dit qui suppriment la dimension de don dans le geste.

La dette

Je ne dis pas que de telles mesures ne sont pas parfois justifiées. Le bénévolat n'est pas toujours souhaitable, et il peut être préférable de le remplacer par l'octroi de droits. Historiquement, au Québec, on est passé, avec l'État-providence, de la charité au droit. Et ce fut un progrès. En effet, si le donateur est plus généreux, le receveur est aussi plus vulnérable aux effets pervers du don, liés notamment à la liberté : l'insécurité, la dépendance, l'absence de pouvoir du receveur (« à cheval donné on ne regarde pas la bride », dit le proverbe). Tous ces effets pervers du don ont été, à juste titre, souvent dénoncés. Partout où le fait de ne pas rendre entraîne domination potentielle, humiliation, injustice, perte de dignité, la solidarité sous forme de droit est préférable au don. En ce sens, il y a progrès de la charité au droit, du don à la justice.

Cependant, il est aussi vrai que dans toute société il faut maintenir ce geste « libre et gratuit ». Une société qui rend tout obligatoire tue la dynamique qui se situe au plus profond d'elle-même et qui la fait agir.

À cet égard, les sociétés qui ont développé l'État-providence et qui aujourd'hui remettent en question certains de ses rôles font toutes face à une importante contradiction qu'on peut brièvement définir de la façon suivante : en essayant de confier au bénévolat des tâches qui relèvent du gouvernement, des tâches qui ont été définies comme répondant à des obligations collectives, on risque de diminuer, voire d'enlever la liberté de donner essentielle à l'action bénévole. Ce phénomène est présent dans tous les pays occidentaux qui remettent en question le fonctionnement de l'État-providence. En acceptant de tels mandats, les organismes risquent de ne plus se définir par rapport aux personnes aidées mais en fonction des priorités générales de l'État. À la limite, cela conduit au salariat des bénévoles, autrement dit à la disparition du bénévolat.

Résumons. Il est important de conserver le bénévolat en tant que geste libre et gratuit, mais il peut aussi être nécessaire de le remplacer par la solidarité et la justice dans certaines circonstances. Pourquoi ? Pour répondre à cette question, il faut mieux saisir ce qui peut être négatif dans le bénévolat.

Ne pas vouloir recevoir

En quoi le bénévolat peut-il être négatif ? Ce qu'on dénonce le plus souvent, c'est le fait que ce type de don est unilatéral et qu'il entraîne ce que nous pouvons appeler un sentiment de *dette négative*. On ne peut nier l'existence de ces problèmes. On n'a qu'à songer au malaise que l'on ressent lorsque quelqu'un demande l'aumône dans la rue. Toutefois, les illustrations de cette dette négative ne se limitent pas à l'aumône. Elles sont multiples, dans de nombreux domaines. Donnons-en quelques illustrations.

– Dans le domaine du don d'organe, on a observé chez des personnes ayant subi une transplantation un sentiment de dette pouvant entraîner des problèmes psychologiques graves, qui pourraient aller jusqu'au rejet de l'organe. Il est certain que, surtout lorsqu'on est en présence de ce qu'on appelle des donneurs cadavériques, c'est-à-dire des donneurs décédés, la personne qui reçoit ne peut pas rendre, par définition. L'unilatéralité du don est évidente et crée un sentiment de dette négative qui cause d'importants problèmes psychologiques, au point où certains ont parlé de la « tyrannie du don »[2]. (Fox and Swazey 1992)

– Certains types de dons humanitaires illustrent aussi le fait que souvent, dans le don, le receveur est considéré comme acquis, on ne lui demande pas son avis. Ainsi, pour l'économiste Serge Latouche, ce n'est pas principalement par le marché que les sociétés du tiers-monde finissent par perdre leur culture au contact de l'Occident. Plus encore que par le commerce, c'est par les dons reçus que les sociétés dominées finissent par s'identifier à l'Occident et perdent leur âme. « Le véhicule de cette " conversion " (aux valeurs occidentales) ne peut être la violence ouverte ou le pillage même déguisé en échange marchand inégal, c'est le don. C'est en donnant que l'Occident acquiert le pouvoir et le prestige qui engendrent la véritable déstructuration culturelle. » (Latouche 1992, p. 68)

– Enfin, dans le bénévolat lui-même, certains receveurs peuvent se sentir humiliés de recevoir des services sans pouvoir en rendre à leur tour. Dans une enquête auprès de bénéficiaires de services bénévoles, nous avons observé que, lorsque ces derniers ne peuvent pas ou ne veulent pas rendre, ils tendent alors à voir l'organisme de bénévolat comme un service gouvernemental et un prolongement de l'État.

Ils considèrent le service qu'ils reçoivent comme un droit et se protègent de cette manière du danger du don unilatéral et de la dette négative.

On pourrait multiplier les exemples. Mais quelle est la cause du problème? Pour la majorité des observateurs, on l'a vu, la cause, c'est l'unilatéralité du don. Le problème, c'est le fait que ce n'est pas réciproque. Et la solution qui est proposée à chaque fois que ça ne peut pas être réciproque, c'est d'écarter le don et de passer par les droits. Autrement dit, à chaque fois que celui qui reçoit ne peut pas rendre l'équivalent de ce qu'il a reçu, le don serait condamnable. Ce raisonnement a pour conséquence de condamner en grande partie le bénévolat.

La dette positive

Nos travaux nous ont conduits à remettre cette conclusion en question. En effet, dans nos recherches, tout en ayant constaté ces problèmes qu'on vient de décrire, on a aussi été en présence de nombreuses situations de don non réciproque et sans problème, sans ces conséquences négatives dénoncées avec raison par les opposants au don bénévole. Ceci nous a conduits à nous demander si c'est vraiment le fait que le don est unilatéral, et seulement cela, qui entraîne les conséquences négatives. Tel est le fond de la question. Pourquoi cet effet négatif, cette dette négative, et qu'est-ce qui l'entraîne? Si c'était seulement dû au fait que le don n'est pas réciproque, ces problèmes devraient être présents à chaque fois que le don n'est pas rendu de manière à peu près équivalente. Or, nous avons souvent constaté des situations de dons non réciproques mais qui ne causent pas tous ces problèmes, bien au contraire. Donnons-en quelques illustrations.

D'abord, il y a tous ces cas de dons unilatéraux, ou considérés comme tels, mais qui ne sont pas vécus de cette façon par ceux qui donnent. En effet, nombreux sont les bénévoles qui affirment recevoir beaucoup des personnes qu'ils aident sous forme de reconnaissance, d'échange verbal, de sagesse transmise, pour ne mentionner que cela.

Mais allons plus loin. Le don des parents aux enfants est en grande partie unilatéral; en tout cas, il y a un déséquilibre évident dans un sens. Même si les enfants donnent à leurs parents, ils donneront surtout à leurs propres enfants plus tard.

Et ce modèle est normal, sans problème et admis par tous. On a aussi observé des cas, particulièrement intéressants pour notre propos, où chacun considérait recevoir plus qu'il ne donnait à l'autre, sans pour autant se sentir humilié, sans ressentir les effets de dépendance d'une dette négative comme on l'a vu jusqu'à maintenant. Au contraire, ils le vivaient comme une expérience très positive. Nous en sommes alors arrivés à la conclusion qu'il y a une possibilité que le sentiment de dette soit positif, soit vécu positivement, que ce n'est pas toujours négatif, sans être pour autant réciproque.[3] (Godbout et Caillé, 1992)

Nous avons pu observer ce phénomène de dette positive même dans le don d'organe, le don unilatéral par excellence. Dans certains cas, les receveurs d'organe que nous avons rencontrés, tout en reconnaissant avoir reçu un don incommensurable, impossible à rendre, et tout en disant avoir contracté une dette impossible à rembourser, vivaient cette situation de manière positive, se considéraient grandis par l'expérience d'un tel don et manifestaient une reconnaissance qui les conduisait à vouloir donner à d'autres, à aider les autres, tout en sachant que cette aide ne sera jamais équivalente au don qu'ils avaient reçu, et donc qu'ils seraient toujours en dette. Eux aussi vivaient un sentiment de dette positive, et non pas négative. Ils avaient envie de donner, librement, avec plaisir. Ils avaient beaucoup reçu, mais sans pour autant avoir contracté l'obligation de rendre. C'est l'idée de la dette comme valeur positive, parce que le don avait été fait « de bon cœur ». Cela s'oppose à la dette négative, quand « on se sent mal », disait quelqu'un. Pour ces personnes, leur dette n'est pas vécue comme dette, en un sens, mais comme reconnaissance : on reconnaît avoir reçu beaucoup, sans pour autant ressentir une obligation mais plutôt un désir de donner à son tour.

La dette positive existe lorsque le receveur ne perçoit pas chez le donneur l'intention « d'endetter » le receveur par son geste, ou encore lorsque le donneur a déjà reçu par le plaisir du receveur. Cette dette est vécue non comme un fardeau mais comme un privilège, une chance. En bref : parce que le receveur perçoit le donneur positivement, la dette prend un sens différent, et loin d'être négative, elle revêt un sens positif.

Qu'est-ce que ces observations nous apprennent à propos de l'unilatéralité et de la réciprocité ? Elles confirment qu'il est difficile de recevoir. Toutefois, ce n'est pas l'unilatéralité ou le déséquilibre en soi qui cause le problème. Ce qui peut être négatif et constitue la source du problème, c'est *l'esprit* dans lequel le don est fait par le donneur, tel que perçu par le receveur, plus que le fait qu'il est unilatéral. Ce qui est négatif, c'est la volonté, chez le donateur, de ne pas recevoir. C'est plus précisément le fait que le receveur est considéré par le donneur comme ne pouvant pas donner. C'est, au fond, le fait que le donneur se sent supérieur en donnant, au point où ce que l'autre pourrait lui offrir n'a pas de valeur pour lui. On rejoint tout à fait Serge Latouche, déjà cité plus haut : « (L'Occident) se tient hors d'atteinte et continue de donner sans rien accepter. Il [...] ne reconnaît aucune dette et n'entend recevoir de leçon de personne. » C'est d'ailleurs exactement ce que dit l'anthropologue anglaise Mary Douglas : « There should not be any free gift. What is wrong with the so-called free gift is the donor's *intention* to be exempt from return gifts coming from the recipient. »[4] (Douglas, 1990, p.vii. Je souligne.)

Il n'est donc pas vrai que tout don unilatéral entraîne automatiquement l'humiliation, la dépendance et tous ces problèmes dont nous avons constaté l'existence, et donc que le bénévolat est nécessairement négatif s'il est non réciproque. Le don non réciproque peut être positif. Il existe une confusion entre ne pas recevoir et ne pas *vouloir* recevoir. Et on peut déduire qu'une des conditions essentielles pour que le don soit reçu positivement, soit bien reçu, c'est que celui qui donne permette toujours à l'autre de donner, que le donneur soit toujours en état de recevoir, soit disponible, autrement dit qu'il croie en l'autre, en sa capacité de donner. En effet, ce qu'on comprend de plus en plus en étudiant le don, c'est qu'on a plus besoin de donner que de recevoir.

C'est peut-être pour cette raison que les organismes qui réussissent le mieux auprès des personnes les plus mal prises dans la société sont ceux qui adoptent ce principe. Ainsi, l'abbé Pierre – fondateur d'Emmaüs, un organisme international d'origine française d'aide aux plus démunis, et notamment aux sans-abri – aime bien raconter que tout a commencé un soir qu'il était en train d'aider des familles à se trouver un logement lorsqu'il a rencontré un individu qui venait de sortir de prison et voulait se suicider. Il lui demandait de l'aide. L'abbé Pierre lui a répondu qu'il n'avait pas le temps. « Donne-moi d'abord un coup de main pour reloger ces gens, après on s'occupera de ton cas », lui a-t-il dit. Cette personne est devenue son plus proche collaborateur, parce qu'il lui a demandé de donner d'abord.

Je résume. C'est l'esprit du don qui le rend positif ou négatif. Donner ce que l'autre ne veut pas recevoir, donner en adoptant une attitude supérieure, donner en pensant que l'autre ne peut pas donner, voilà ce qui rend le don négatif, beaucoup plus que le fait qu'il n'est pas réciproque. Voilà ce qu'il faut éviter. Le sens ultime de ce qu'on reçoit, c'est le don. Il en résulte que, lorsque quelqu'un donne en percevant le receveur comme incapable de donner, il empoisonne son don, il oblige l'autre à se percevoir comme receveur seulement, et toute la dette négative et les effets pervers du don s'ensuivent, découlant de ce sens accordé au don par celui qui donne.

Bénévolat aux mourants

Ces idées peuvent-elles s'appliquer d'une manière quelconque à l'expérience du bénévolat dans le cadre des soins palliatifs ? Je crois que oui. Il s'agit d'une situation particulièrement difficile, dramatique, où le receveur est particulièrement démuni, angoissé. Dans un tel contexte, il n'est pas facile d'éviter les dangers du don unilatéral. Rien n'est plus facile, en effet, que de ne pas tenir compte du receveur. Rien de plus facile que de croire qu'on connaît les « vrais » besoins du malade qui est devant nous, et de donner ce que l'autre ne veut pas recevoir. C'est, je crois, ce à quoi le Dr Dionne se réfère lorsqu'il attire l'attention sur les dangers de ce qu'il appelle « l'acharnement humain, psychologique, spirituel ou social. »[5] (Guide du bénévole aux soins, 1991-1992, p. 2) En outre, il est facile de se sentir, plus ou moins consciemment, supérieur quand on donne son temps à quelqu'un qui n'a plus beaucoup de temps, de se définir comme « ayant toute la vie devant soi » et d'en arriver à adopter sans trop s'en rendre compte une attitude condescendante, ou de développer et de jouir d'une relation de dépendance. On a vu plus haut que la spécificité du don du bénévole, c'est qu'il donne du temps. Le temps, le bénévole en a tellement plus que celui à qui il le donne que ce qu'il donne n'est rien, en somme, pour lui, mais c'est tout pour le malade. Par rapport au temps, le bénévole est objectivement dans la même situation que le riche qui donne des miettes aux pauvres. Rien de plus facile, enfin, que de ne pas être en état de recevoir ce que l'autre veut et peut donner, de ne pas percevoir les signes, l'expression de désirs, d'une demande, d'autant plus que l'autre croit souvent ne plus pouvoir donner. Comment ne pas le conforter dans ce qui semble être devenu son inutilité radicale ?

En effet, la question se pose : A-t-il quelque chose à donner ? Ne sommes-nous pas justement dans une situation extrême où, précisément, l'autre n'a plus rien à donner, et où, donc, toute intervention risque d'être une atteinte à la dignité du donneur si elle se situe dans le cadre du don ? Si on y applique les constatations et les réflexions faites plus haut, ne devrait-on pas conclure que cette intervention devrait prendre place plutôt dans le cadre de droits ? Ne faudrait-il pas

développer les droits des malades en phase terminale et s'en tenir à ce cadre d'action, ce qui conduirait à éliminer le bénévolat ?

Cependant, nous sommes devant le grand paradoxe de la mort, pour ne pas dire le grand mystère. Le danger est de répondre à cette question en adoptant une approche réductrice de la mort, celle dont je parlais au début. Dans cette perspective, la mort, c'est le fait que tout cesse de circuler. La mort, c'est la fin de la circulation du sang, c'est l'arrêt définitif de toute circulation, « l'arrêt de mort ».

Toutefois, dans une perspective de don, c'est différent. Loin d'être un arrêt de la circulation, c'est bien connu, la mort génère une grande circulation de dons dans notre société. Une grande partie des dons aux différentes œuvres et aux différentes causes a lieu au moment où une personne meurt. « Prière de ne pas envoyer de fleurs, lit-on de plus en plus, mais de faire plutôt un don. » Et on nomme une cause qui lui tenait à cœur, ou un organisme qui lui a beaucoup donné. La mort donne à la vie, contribue à la recherche médicale, aux organismes d'aide aux malades, etc. « Death stimulates giving in the form of memorial contributions to churches, hospices, colleges, and organisations promoting research and prevention of various diseases. » [6](Bremner, 1996, p. 199) Le don, c'est la vie qui continue.

La mort fait aussi circuler les échanges entre les personnes. Non seulement la mort stimule la générosité, mais elle nous met dans un autre état, ou peut-être devrions-nous dire plutôt qu'elle nous branche à l'autre état, l'état où tout circule plus facilement, l'état où ce qui empêche l'être de circuler se dissout dans un courant plus large et plus fort qui nous entraîne. Lorsque la mort survient ou est sur le point de survenir, les personnes sont plus proches, se disent, se confient, se présentent aux autres sans méfiance, laissent les choses aller au lieu de les retenir. La mort nous fait ressentir le besoin de rituels. Alors que l'approche scientifique tend à réduire la mort à un phénomène objectif, déterminé parce qu'il s'inscrit dans des lois physiques de décomposition des corps, le don nous sort de ce modèle et nous fait entrer dans l'incertain, dans l'inconnu, dans l'indéterminé.

Ainsi, chaque don est un saut mystérieux hors du déterminisme.

C'est pourquoi le don s'accompagne souvent d'un certain sentiment d'euphorie et de l'impression de participer à quelque chose qui dépasse la nécessité de l'ordre matériel. «Jamais peut-être le rapport à la mort n'a été si pauvre qu'en ces temps de sécheresse spirituelle, où les hommes, pressés d'exister, paraissent éluder le mystère. Ils ignorent qu'ils tarissent ainsi le goût de vivre d'une source essentielle. »[7] (F. Mitterand, cité dans Bacqué, 1997, p. 23) Le don peut peut-être contribuer à rétablir le lien perdu entre la vie et la mort dont parle Mitterand dans ce texte. Jean-Paul Sartre ne disait-il pas du don qu'il était : « ...délivrance de l'univers du désir. [...] Si nous considérons le pur univers du désir où l'homme est l'inessentiel et la chose l'essentiel, le don paraît *dans son intention première* le renversement de cette structure et par conséquent une délivrance : je ne suis plus là pour actualiser la chose par consommation mais si je donne, c'est la chose qui est là pour être transmise à l'autre.[8] (Sartre, 1983, p. 383)

En faisant éclater la logique matérielle déterministe de la science et en faisant apparaître quelque chose de non prévu, le don est une porte d'entrée dans le mystère. Le don peut peut-être contribuer à donner un sens à la mort dans la société moderne désenchantée qui ne permet plus d'y voir autre chose que le passage à l'état de cadavre. Le don, c'est ce qui arrive en plus, un supplément, l'inattendu, la surprise. C'est ce qui n'est pas dû. « Tu n'aurais pas dû. » Cette phrase conventionnelle qui sort de la bouche de celui qui reçoit est une sorte d'attestation adressée à celui qui donne qu'il a bien fait un don, que celui qui reçoit le reçoit comme don.

Le don peut peut-être permettre d'espérer qu'il y a quelque chose en plus dans la mort que le cadavre. Plus que le silence. Plus que la perte, comme dans le don qui est le fait d'assumer la perte. « L'Ego est pour se perdre : c'est le Don », écrit encore Sartre (p. 434). L'enfant doit assumer la perte, dit la psychanalyse, il doit faire l'expérience du renoncement. C'est ce qui le fait accéder à l'autonomie. La valeur fondamentale de cette expérience du renoncement est niée par la société productiviste pour laquelle l'acquisition est le seul sens de la vie, comme le montre le Dr Lamontagne dans une belle entrevue (RND, reprise dans le bulletin La Maison, vol. 11, n° 2, déc. 1997)[9]. Ne serait-ce pas ce qui constitue l'explication principale du fait qu'on soit aussi démuni devant la mort : l'acquisition comme seul sens donné à la vie ? Mais l'expérience du don est celle de la perte assumée. Elle consiste à donner un sens à la perte. C'est pourquoi plus on a donné, plus on a nié dans notre vie les valeurs actuelles dominantes de la société de consommation, plus, peut-être, on peut assumer la mort, cette expérience extrême de la perte, de l'abandon.

Toutefois, nous étions partis de la question : Que faire, en tant que bénévole, si le mourant est justement quelqu'un qui ne peut plus donner ? Que faire quand on ne peut plus donner ? On donne encore, et c'est peut-être le don le plus important qu'un bénévole peut faire à un malade : lui permettre de donner, de partager ne serait-ce que l'interrogation sur le sens de la mort. Le bénévole, par son don de temps à quelqu'un qui n'en a plus beaucoup, permet peut-être à l'un et à l'autre d'aborder ensemble le mystère de la mort. Donner le temps permet peut-être de retrouver le sens du temps.

Donner à un mourant est une expérience extrême. J'ai tenté de l'aborder en toute modestie en soumettant quelques idées inspirées par mes réflexions sur le don, mais aussi par mon expérience de la perte d'êtres proches.

Références

Bacqué, Marie-Frédérique. 1997. « Mourir aujourd'hui. Les nouveaux rites funéraires ». Paris, Odile Jacob.

Bremner, Robert H. 1996. *Giving. Charity and Philanthropy in History.* New Brunswick (U.S.A.) and London (U.K.) : Transaction Publishers . 241 p.

Douglas, Mary. 1990. *No free gifts. Foreword to The Gift, by Marcel Mauss.* New York and London : W.W.Norton.vii-xviii .

Durkheim, Émile. 1992. « L'enseignement de la morale à l'école primaire. » *Revue française de sociologie.* 23 : p. 609-623.

Fox, Renée C., and Judith Swazey. 1992. *Spare Parts. Organ Replacement in American Society.* New York : Oxford University Press.

Godbout, Jacques, et Alain Caillé. 1992. *L'esprit du don.* Montréal et Paris : Boréal/La Découverte. 345 p.

Guide du bénévole aux soins. 1991-1992 – La Maison Michel Sarrazin

Latouche, Serge. 1992. *L'occidentalisation du monde.* Paris : La Découverte.

Le bulletin La Maison, Maison Michel Sarrazin, vol. 11, n° 2, déc. 1997

Sartre, Jean-Paul. 1983. *Cahiers pour une morale.* Paris : Gallimard.

1. Durkheim 1992, p. 615-616.
2. Fox and Swazey, 1992.
3. Godbout et Caillé, 1992.
4. Douglas 1990, p.vii. Je souligne.
5. Guide du bénévole aux soins, 1991-1992, p. 2, La Maison Michel Sarrazin.
6. Bremner, 1996, p. 199.
7. F. Mitterand, cité dans Bacqué, 1997, p. 23.
8. Sartre, 1983, p. 383.
9. RND, reprise dans le bulletin La Maison, vol. 11, n° 2, déc. 1997.

Volume 1 • Numéro 2 • Printemps 2000

Dominique Jacquemin • Enseignant-chercheur au Centre d'éthique médicale • Faculté libre de médecine – Université catholique de Lille • 56 rue du Port, F.59.046 Lille Cedex • Courriel : djacquemin.cem@fupl.asso.fr

En traversant la pratique des soins palliatifs…
Enjeux philosophiques, éthiques et théologiques de l'acte de soin

Dominique Jacquemin

Introduction

Traverser la pratique des soins palliatifs et s'efforcer d'y considérer ce qui y est à l'œuvre permet d'ouvrir assez largement la problématique de l'acte de soigner. En s'efforçant de rester au plus près de cette pratique pour y repérer les valeurs qui la traversent, il est à nos yeux possible d'y redécouvrir bon nombre d'éléments pouvant contribuer à la réflexion philosophique, éthique et théologique pour lui redonner une présence concrète dans la rencontre singulière de la personne souffrante.

Ce sont ces trois directions que nous aimerions considérer ici, tentant dans un même mouvement de mettre en évidence la signification d'une pratique soignante en soins palliatifs et sa contribution possible pour réinscrire toute la richesse du soin au cœur de la médecine contemporaine.

Dans un premier temps, nous voudrions considérer comment une éthique du soin est concrètement à l'œuvre dans la pratique des soins palliatifs. Cette première étape permettra de déterminer en quoi et comment cette pratique soignante peut contribuer à mettre en évidence certaines pistes de réflexion relatives à ce que pourrait être une philosophie du soin. Dans un deuxième temps, nous proposerons certains prolongements théologiques de cette même analyse de la pratique : en quoi et comment les soins palliatifs peuvent-ils contribuer à nourrir un discours théologique ? Dans une dernière étape, nous envisagerons la question de l'apport des soins palliatifs pour repenser une certaine dynamique de la médecine contemporaine, tout en soulignant, par souci de réalisme, certaines limites relatives à cette pratique et à divers discours qui y sont inhérents.

Les soins palliatifs : une requête pour repenser le soin

Dans un premier temps, nous comptons analyser, par une observation des pratiques, en quoi et comment les soins palliatifs peuvent être porteurs de certaines significations pour toute démarche de soins : par leur vision holistique de l'humain et par leur organisation en vue de la prise en charge de la personne en fin de vie, ils sont porteurs de certaines requêtes pour repenser le soin et la fonction soignante. La dimension centrale que nous voudrions mettre au jour réside dans leur capacité à rencontrer le malade dans son individualité, celle de son histoire, de sa pathologie et de ses attentes, tout en mettant en œuvre de réelles capacités thérapeutiques et humaines passant par l'interdisciplinarité.

a. Une approche du temps réintégrée

Une première caractéristique des soins palliatifs réside dans la manière de réintégrer le temps dans sa dimension historique et l'histoire individuelle de tout patient. Nous reprenons cette conviction à Bernard Matray lorsqu'il mettait en évidence deux préalables pour la mise en œuvre de soins palliatifs : « ...accepter le temps du mourir comme un temps qui, marqué d'une particularité propre, n'en est pas moins, lui aussi, une partie intégrante de l'histoire de la personne ; il est nécessaire, d'autre part, de tenter, durant ce temps, de "faire société" avec les grands malades et leurs familles »[1].

Cette acceptation du temps du mourir comme un temps à vivre demande certes un engagement éthique de tout soignant et nécessite conjointement de lever certaines résistances : il est difficile humainement d'être confronté à une personne en fin de vie, ne serait-ce que parce qu'elle nous renvoie l'idée de notre mort proche ; c'est l'image de l'autre altéré, souffrant, qui nous restitue devant notre propre vulnérabilité ; ce sont ses propos, ses plaintes, ses questions parfois difficiles à entendre et à accepter. Cependant, il importe, dans ces derniers temps, de continuer à croire et à manifester que le malade, « même dans la plus grande détresse [...] est une personne humaine qui doit être aidée et respectée comme toute autre »[2]. Il ne s'agit certes pas d'idéaliser la fin de la vie – elle reste le lieu d'une crise, parfois sans solution réelle d'accompagnement – mais bien de continuer à considérer l'autre dans le respect, l'attention, les soins qu'il mérite.

Cette dimension de présence à l'autre dans son histoire, dans le temps ultime qu'il vit encore, où des besoins spécifiques peuvent encore s'exprimer, nécessite une attitude de la part des soignants et accompagnants, attitude que remettent en évidence les soins palliatifs, celle de « faire société »[3] avec le malade, c'est-à-dire entrer avec lui dans une certaine solidarité, être présent dans ce lieu où lui se trouve en cette période de vie. Cette attitude consiste à croire qu'au-delà de ce qui semble perdu, illusoire pour certains, il y a encore quelque chose à faire, même s'il nous faut sortir de ce qu'on considère habituellement le domaine de la médecine — traiter, guérir. C'est accepter de maintenir, ou de réintroduire le temps du mourir dans la communication comprise au sens large : gestes, attitudes, présence, paroles, en un mot tout ce qui continue à être significatif.

b. Une anthropologie du traitement de la douleur

Si le respect du temps de l'autre avec ce qu'il implique d'accompagnement est une donnée essentielle, il ne va pas sans un soulagement de la douleur qui mérite également toute sa qualification d'un point de vue philosophique : mettre en œuvre une thérapie de la douleur invite à réfléchir sur le statut de la personne soignée. En effet, cette importance du traitement de la douleur apparaît nettement lorsqu'on le met en balance avec deux attitudes encore trop présentes dans la prise en charge de la fin de vie : l'acharnement thérapeutique et l'euthanasie. D'un côté comme de l'autre, la question de la douleur se trouve concernée : l'acharnement thérapeutique risque de ne pas prendre en compte le vécu douloureux du patient, tandis que l'euthanasie représenterait le passage à l'acte pour y mettre un terme. On peut dire qu'en se situant dans une voie moyenne les soins palliatifs s'insurgent contre une volonté de maîtrise, d'objectivation de l'autre et du corps de l'autre, d'autant plus que cette prise en charge de la douleur n'est pas simplement assimilable à la prise en compte de la douleur physique mais bien de la douleur totale (*total pain*).

En effet, la tentation est parfois forte d'en rester au seul acharnement thérapeutique lorsqu'on se situe dans l'appréhension de la mort proche : une attitude qui permet de se cantonner dans le seul technique, l'objectivisme biologique et fonctionnel, faisant « comme si... », occultant la situation réelle du malade en fin de vie. Cette approche uniquement technicienne, que refusent les soins palliatifs, empêche la rencontre du malade dans ses besoins réels, mais elle offre la sécurité d'un paravent technique. L'autre dimension d'objectivisme à laquelle tentent de répondre les soins palliatifs est celle de l'euthanasie comme masque mis sur la mort d'autrui, comme passage à l'acte légitimé en tant qu'issue à une situation thérapeutique devenue problématique. S'il n'est pas ici question de s'attarder sur ces deux questions éthiques spécifiques, il reste que les soins palliatifs, dans leur dimension de traitement de la douleur, s'efforcent de ne pas fermer le questionnement relatif à la fin de la vie, dans l'esprit du malade certainement mais également dans celui des soignants et de toutes les personnes en situation d'accompagnement.

c. L'accompagnement, manifestation de la dignité d'autrui

Cette acceptation d'entrer en relation avec le malade constitue également un enjeu important mis à l'œuvre au sein de la pratique des soins palliatifs : soignants, famille et accompagnants prennent le risque de se situer sur le terrain d'égalité qui est celui de l'humanité de l'autre, laquelle me renvoie à la mienne. Cette dimension d'accompagnement atteste implicitement que l'autre, le malade, est encore quelqu'un, une personne avec ses besoins, ses attentes, ses questions. Bien sûr, pour perdurer dans cette dimension éthique du soin, il importe de garder une justesse dans cette relation, de ne pas croire qu'il sera possible de tout résoudre chez l'autre ou, plus tragiquement encore, de vouloir le conduire sur nos propres chemins, comme s'il existait une fin de vie idéale et à atteindre absolument.

À ce sujet, B. Matray proposait encore deux éléments d'évaluation de la justesse de toute relation d'accompagnement. Tout d'abord, il s'agit de rester sans cesse en éveil dans cette relation afin de percevoir ce que souhaite réellement l'autre à ce moment-ci, à cet instant de la rencontre. Cette présence à l'autre ne peut se vivre sans une présence équivalente à nous-mêmes : comment ces valeurs, ces questions, ces images de la personne en fin de vie nous interrogent dans notre propre existence. En fait, nous retrouvons l'importance du temps, un temps qui fait entrer conjointement accompagnants et soignés dans l'immédiateté de ce qu'ils sont et vivent. Cette attention au présent de la relation d'accompagnement amène le deuxième élément d'évaluation : « la relation d'accompagnement doit chercher à se libérer de toute violence »[4]. La violence radicale, dépassant le caractère en soi violent de toute fin de vie, consisterait ici à sans cesse projeter l'immédiat de la relation dans un futur qui est le nôtre : imposer à l'autre nos conceptions de la fin de vie, de la « bonne mort », de la maladie, de la souffrance, etc. Entrer dans ce type de rapport au malade conduirait à l'exproprier lui-même de son propre chemin et empêcherait toute personne d'être en réelle situation d'accompagnement ; nous ne serions que dans une situation d'abusive guidance. Accepter ce préalable à tout accompagnement revient à souligner conjointement un relatif désintéressement pour laisser à l'autre toute sa place dans son propre cheminement.

d. Une conception renouvelée du travail

Un autre élément d'évaluation issu de la pratique des soins palliatifs n'est pas sans conséquences dans sa dimension d'appel pour la médecine contemporaine : le travail en équipe interdisciplinaire. Il importe d'en relever la nécessité concrète sur plusieurs plans. Le premier souligne l'importance de garder un équilibre dans l'exercice concret de la fonction soignante. Il s'agit tout d'abord de tenir dans cet engagement exigeant qu'est la confrontation perpétuelle avec l'idée et la réalité de la mort ; il s'agit aussi de pouvoir dire, partager ce qu'on vit, ses difficultés, ses questions. Cette notion d'équipe est d'autant plus importante qu'il est question de rencontrer l'ensemble des besoins du malade. Nul ne peut prétendre à l'omnicompétence en matière médicale, sociale, psychologique, spirituelle, et il importe que chaque acteur du soin puisse le reconnaître. Ce n'est qu'en comptant sur l'unité d'engagements diversifiés et coordonnés – dont le malade sera toujours le centre – qu'il est possible de développer une approche holistique des soins. Cette prise en charge interdisciplinaire du malade conduit davantage l'équipe à une structuration moins hiérarchique mais guidée par la reconnaissance des mutuelles compétences en complémentarité.

Enfin, cette dimension du travail en équipe trouve sa qualification majeure dans le fait qu'il permet le maintien d'un consensus fondateur : le pari d'être au service d'une personne en situation de fin de vie, dans une optique de qualité de vie. Et ce consensus fondateur révèle la dimension éthique dont l'équipe se trouve porteuse en ce qui concerne les valeurs qu'elle met en œuvre dans les soins et l'accompagnement. Or, des situations de crise liées à la situation d'un malade ou à l'équipe elle-même surviennent dans la pratique. C'est en se réappropriant par l'échange et la discussion les valeurs auxquelles on croit qu'il est également possible de tenir dans l'engagement. En ce sens, l'existence de l'équipe implique une capacité interdisciplinaire d'éthique clinique[5] : une capacité de s'interroger sur la signification de sa pratique et sur ce qui est décidé dans l'intérêt du malade lui-même.

e. Le soin, espace d'une rencontre individuelle

Tous les éléments jusqu'ici évoqués conduisent facilement au dernier élément d'évaluation critique inhérente aux soins palliatifs en vue de réintroduire une philosophie du soin : la place centrale accordée au patient. Fondés sur l'approche holistique du patient dans la rencontre de ses besoins par une équipe interdisciplinaire, les soins palliatifs touchent le patient dans sa singularité au cœur de sa pratique et de sa réflexion. Cependant, ce recentrage sur la personne du patient ne pourra se faire que moyennant le développement d'une interrogation critique sur le sens du soin, autrement dit encore moyennant une interrogation sur la dimension éthique de ce dernier : une capacité apprise de rendre compte mutuellement et en raison de ce qui motive tout choix thérapeutique et d'accompagnement de la personne en fin de vie. Il s'agit de réapprendre sans cesse, et en équipe, que la capacité du patient d'être sujet de soin dans la totalité de son existence – corps et histoire – représente toujours la norme ultime qui va régir la moralité des décisions et des actes médicaux. Cette approche unique du patient – et par le regard pluriel et concerté de l'ensemble des soignants – révèle l'enjeu éthique majeur rappelé par les soins palliatifs.

Éléments pour une philosophie du soin

Au terme de ce parcours, à la relecture de certaines dimensions de la pratique même des soins palliatifs, nous voudrions maintenant relever sous forme de synthèse quelques éléments philosophiques capables d'ouvrir de nouvelles pistes pour penser la pratique et la signification du soin jusque dans leur dimension éthique.

a. Une redécouverte de la dimension anthropologique du soin

Tout d'abord, il est possible de redécouvrir, au cœur de l'acte de soin, certaines dimensions constitutives de l'humain. Nous avons certes mis en évidence une assomption de la temporalité : non seulement il est question de prendre en compte le temps particulier que vit la personne souffrante mais, plus radicalement encore, il est urgent de pouvoir penser et accepter l'expérience de la limite dans la maîtrise du temps tout en ayant pris acte que la mort fait encore partie de la vie.

Cette prise en compte du rapport au temps dans la rencontre du soin ne peut négliger une autre question philosophique qui est celle de la corporéité et du rapport au corps. Tout d'abord, nous avons pu mettre en évidence que le malade en son corps était toujours relié à une temporalité historique, subjective du vécu de ce corps, mais, d'une manière encore plus explicite, que cette approche de la corporéité de l'autre pouvait se vivre comme le lieu médian où, entre le soignant et la personne soignée, pouvaient être rencontrées des dimensions qui dépassent largement la seule appréhension somatique dont l'histoire du corps reste cependant marquée : la dimension sociale, psychologique et spirituelle de la personne malade en son corps.

La prise au sérieux du rapport au temps et au corps réintroduit également la dimension d'altérité dans l'acte de soin. En effet, soigner une personne malade ne semble possible que dans le respect d'une dialectique entre proximité et distance. S'il est essentiel de prendre acte de tous les éléments soulignant une nécessaire proximité (notion d'accompagnement, de sollicitude), il ne faut pas non plus négliger la dimension de distance, d'altérité : le malade ne nous appartient pas, il n'est pas nous et nous n'avons aucune maîtrise à exercer à son égard, que ce soit par l'objectivation du corps ou le rêve de mainmise jusque sur sa propre mort. Par bien des côtés, et pas seulement sur le plan de la perception que nous pouvons en avoir, la personne du malade nous échappe parce que nous ne sommes pas lui.

Seule la prise en compte de ces divers éléments permet de réintroduire un juste équilibre dans la perception quantitative et qualitative de l'existence d'autrui dont, par les décisions thérapeutiques, il importe de réévaluer sans cesse les finalités mises en œuvre : quel humain cherche-t-on à soigner, comment et avec quel projet ? En ce sens, une approche anthropologique du soin et de l'humain malade conduit, dans une même dynamique, à une interrogation éthique de l'acte de soigner.

b. Une acception éthique du soin

La dimension éthique du soin se situe certes dans la rencontre singulière de la personne souffrante avec tout le respect qui lui est dû, quels que soient son état, sa pathologie, l'image qu'elle donne ou que nous avons d'elle, mais elle est également à envisager dans les grands principes sous-jacents à la philosophie des soins palliatifs : à travers l'acceptation de la rencontre de l'autre souffrant jusque dans l'altération liée à la mort proche, il est question de reconnaître encore au malade une identité de personne capable de droits, et de refuser de la sorte toute modalité d'exclusion thérapeutique. De plus, par la réintroduction de la question de la finalité au cœur du soin, il devient possible de mettre des limites à toute notion d'acharnement thérapeutique mais également de refuser tout abus de puissance envers une personne en situation de radicale vulnérabilité (sédation excessive objectivant le patient, euthanasie). Cette attention à la vulnérabilité d'autrui conduira également à refuser toute forme de sous-médicalisation et de carence par sous-emploi de thérapies de soulagement de la douleur.

Cette interrogation sur la finalité du soin devrait avoir des répercussions sur une éthique économique des soins de santé. En effet, il est aujourd'hui manifeste qu'un activisme thérapeutique non réfléchi et son cortège d'hospitalisations parfois évitables conduisent à des dépenses excessives en matière de coûts de santé publique et qu'une incapacité à rencontrer autrui dans l'approche de sa mort conduit encore trop souvent à cette modalité de prise en charge, pensant ainsi occulter la mort et l'échec qu'elle peut évoquer pour le soignant. Enfin, et sans vouloir rendre nos propos trop excessifs, ne peut-on pas postuler qu'un meilleur accompagnement des familles réduirait peut-être bon nombre de deuils pathologiques qui, fait de société oblige[6], se trouvent pris en charge par la seule pratique médicale ? Ne faut-il pas en effet regretter que l'occultation sociale de la mort, l'impossibilité de pouvoir « la parler » conduise à une absence de considération sociale de ce qui est vécu par les endeuillés, au point que seule la médecine puisse entendre leurs plaintes ?

c. Philosophie du soin et questions de société

Nous voudrions relever un autre élément souvent négligé : la pratique du soin et sa signification devraient s'inscrire dans une interrogation de société, d'où un certain appel à la responsabilité éthique. À travers la manière dont la personne souffrante et en fin de vie se trouve prise en charge, c'est aussi une manière de réinscrire la maladie et la mort comme des dimensions constitutives de la vie sociale, et non plus comme des réalités se devant d'être occultées, confiées à des « spécialistes » mais qui n'interpelle pas le corps social quant à la manière dont il appréhende ces faits de vie. L'exercice du soin et la dimension philosophique dont il est porteur n'auraient-ils pas aujourd'hui, par la pratique même des soignants, à « inquiéter » la société lorsque la fin de vie et la personne qui y est confrontée se trouvent malmenées, instrumentalisées, voire même occultées ? Il s'agit là d'une question importante qui atteste en même temps que la manière dont une personne malade se trouve aujourd'hui prise en charge dans le soin dit également quelque chose de la société où se déroule ce soin.

d. Une évaluation du soin laissant sa place au patient sujet

Il est une dernière caractéristique du soin que semble remettre à l'honneur la pratique des soins palliatifs. En effet, ils s'efforcent de rester sans cesse dans une dimension d'évaluation de ce qui est mis en œuvre, de ce qui est prescrit : la dimension de la finalité du soin constituerait donc un dernier appel à prendre en compte pour une philosophie du soin. Et cette dimension de finalité serait toujours à réinscrire au cœur de l'histoire d'un patient reconnu comme sujet de sa propre histoire et des décisions qui le concernent. Il s'agirait ainsi de reconnaître que tout acte de soin n'a pas en soi sa finalité et sa signification, mais que ces dernières sont toujours à considérer en lien avec un patient singulier et des soignants qui le rencontrent.

Une relecture théologique des soins palliatifs

Après avoir considéré la dimension éthique d'une pratique des soins palliatifs ainsi que les conséquences possibles pour une contribution à une philosophie du soin, nous aimerions montrer qu'ils offrent une chance du même ordre à la théologie, et plus particulièrement à une théologie voulant approcher la signification de cette mort à laquelle aucun de nous ne peut prétendre échapper. En effet, comme nous l'avons vu, l'existence même des soins palliatifs, avec ce qu'ils prônent comme approche et respect du malade, constitue pour le théologien une invitation à remettre sur le métier certains de ses discours, du moins pas mal de ses évidences.

Cependant, au préalable, il importe de souligner en quoi l'existence des soins palliatifs représente une chance pour le théologien, et ce, en lien avec la pratique médicale.

Tout d'abord, la naissance des soins palliatifs – avec ce qu'ils impliquent comme travail en équipe, comme remise en cause – a permis l'émergence de la question du sens. Elle a introduit un aiguillon dans la pratique médicale contemporaine, permettant ainsi l'interrogation humaine. C'est peut-être la plus ancienne question philosophique qui a retrouvé droit de cité, celle du pourquoi. Pourquoi fait-on tout cela ? Pourquoi avoir choisi notre métier de soignant ? Pourquoi laisser une place à la mort ? Tout cela laisse une porte ouverte, si petite soit-elle, au théologien. En effet, l'interrogation du « pourquoi » menée jusqu'au bout, surtout lorsqu'on l'envisage en relation avec la mort, peut un jour ou l'autre conduire au seuil de la question de Dieu, que ce soit dans l'esprit du malade ou celui du soignant. Dans cette même dynamique de questionnement qui retrouve une certaine pertinence, le théologien ne peut plus se contenter de discours tout faits, étant lui-même provoqué par ce qui se vit, par ce que d'autres peuvent lui confier de leur propre expérience.

Nous l'aurons compris, grâce aux soins palliatifs, la question de la finalité a retrouvé ses lettres de noblesse : quelle finalité pour le travail du soignant, mais aussi quelle est la finalité de la vie humaine, puisque la mort est là ? C'est bien à cette question que nous sommes confrontés par notre pratique soignante et d'accompagnement. Bien sûr, la question de la finalité n'est pas neuve, mais il est aujourd'hui possible de poser cette question dans un autre contexte où elle n'est plus affirmée comme une évidence à accepter mais peut-être davantage comme une question à assumer au sein d'une pratique médicale et humaine.

Ces quelques préalables étant posés, il reste cependant difficile de déployer certains « enseignements » théologiques. Le théologien, comme tout homme, reste confronté à ses propres questions, ses propres souffrances lorsqu'il doit traiter d'un tel sujet ; parler de la mort et de son approche, c'est toujours parler un peu de sa propre mort. De plus, d'un point de vue dogmatique[7], mettre en œuvre un questionnement

théologique invite bien souvent à toucher un tas de problématiques, de questionnements annexes qui mériteraient un investissement pour eux-mêmes mais qu'il ne nous est pas possible d'envisager. Nous voudrions cependant dépasser cet obstacle pour proposer quelques pistes de réflexion. Quatre directions nous semblent valoir la peine d'être développées ici. Tout d'abord, l'analyse éthique et philosophique des pratiques a mis en évidence quelques insistances anthropologiques pouvant avoir une résonance intéressante d'un point de vue théologique. Les soins palliatifs, par leur insistance sur le corps individuel du patient, nous apparaissent comme un lieu privilégié pour laisser place à une théologie de l'Incarnation. Enfin, s'ils permettent un autre discours sur la mort, ils sont peut-être à même d'offrir un enracinement concret pour une théologie de l'Espérance. Après avoir envisagé ces quatre pistes de « renouvellement » théologique, nous aimerions considérer en quoi la prise en compte de ces quelques pistes risque de réclamer une attitude pastorale cohérente.

a. Une redécouverte anthropologique interpellant la théologie

En premier lieu, nous avons insisté sur la centralité de la personne soignée : la respecter dans ce qu'elle est et vit à tel ou tel moment, autrement dit refuser de faire de cette dernière un objet de soins. Si l'objectivation du malade a résulté d'un progrès de la médecine technicienne, elle a en même temps signé une certaine démission dans la prise en compte du malade dans sa totalité comme « sujet désirant ». Devant cela, les soignants saturés d'un tel fonctionnement ont voulu redonner à l'homme la liberté, y compris dans la maladie.

Une telle approche du malade se trouve en harmonie profonde avec un thème biblique fondateur dans la théologie chrétienne : l'homme créé par Dieu libre, sujet responsable. L'homme en général, et le chrétien à sa suite, est donc voulu par Dieu comme quelqu'un capable de prendre sa vie en main, une vie voulue de qualité[8] : « Dieu vit que cela était bon » (Gn 1). Il n'est pas question ici de faire œuvre de récupération ni d'affirmer que la pratique des soins palliatifs poursuit explicitement une vocation théolo-gique, chrétienne, même si certains discours voudraient aujourd'hui en faire le « lieu idéologique fondateur » ; non, ils redonnent simplement une place, au cœur de la médecine contemporaine, à une approche de l'homme telle que désirée par Dieu. C'est d'ailleurs peut-être en ce sens que peut également être envisagé un autre lieu d'interpellation permis par les soins palliatifs : la question de la vérité.

Il serait préférable de parler de la question de la vérité que de vérité, car il s'agit d'une réalité encore bien problématique, non clôturée sur le plan de sa gestion quotidienne. Or, cette exigence de vérité intéresse également la foi chrétienne. Assez spontanément, cette question de la vérité peut faire penser à cette affirmation forte du Christ dans l'Évangile : « Je suis le chemin, la vérité et la vie » (Jn 14,6). Toutefois, le plus intéressant serait de considérer comment le Christ s'est voulu témoin de cette vérité. Il l'a voulue en termes de proposition et non d'imposition, révélée davantage dans des gestes, des paroles et des attitudes que dans un discours. S'il s'est voulu témoin de cette vérité qu'est Dieu, il l'a d'abord voulue crédible dans son rapport à l'homme, à l'autre, passant ainsi par l'expérience de la récipro-cité. Cette dimension de réciprocité comme lieu d'attestation peut être intéressante pour des soignants et permettre de décloisonner cette question de la vérité d'un « quelque chose à dire » pour l'envisager davantage comme un processus à vivre. Pour saisir cet aspect des choses, il importe de poursuivre notre réflexion pour envisager en quoi l'existence des soins palliatifs peut redonner un sens concret, au sein de la pratique médicale, à une théologie de l'Incarnation. À la suite de ce développement, il devrait être possible de mieux cerner cette dimension anthropologique impor-tante qu'est la vérité.

b. Les soins palliatifs, lieu de révélation d'une théologie de l'Incarnation

Nous voudrions reprendre quel-ques éléments d'évaluation de la pra-tique des soins palliatifs et voir en quoi, par leur résonance évangé-lique, ils peuvent manifester une certaine image de Dieu.

On peut tout d'abord penser à l'écoute du malade, celle-ci appa-raissant comme une priorité à vivre. On pourrait rapprocher celle-ci de la compassion traversant l'ensemble de la vie du Christ, ce souci perma-nent de rejoindre l'homme et la femme dans ce qu'ils vivent comme souffrances, comme questions. En fait, lorsque l'on se penche sur l'at-titude du Christ devant l'humain souffrant, il ne console ni par le dis-cours ni par l'exhortation mais par sa présence dans de nombreuses situations ponctuelles. Il se révèle ainsi témoin d'un Dieu à l'écoute, d'un Dieu participant à la souf-france de l'homme[9] et s'intéressant à lui. Une telle attitude n'est pas sans prolongements possibles pour qua-lifier théologiquement l'importance du travail en équipe avec la solida-rité qui peut s'y vivre, qu'elle soit interne (des membres de l'équipe entre eux) ou externe (l'équipe par rapport au malade, à ses proches). Cette solidarité pourrait devenir institutionnellement le signe de ce Dieu préoccupé de l'homme, sou-cieux de partager sa vie.

C'est dans cette même logique d'un au-delà du discours que nous pouvons restituer l'importance de la corporéité. Lorsque le discours n'est plus possible, ce corps malade peut devenir le dernier lieu de relation. Le Christ, lui aussi, a manifesté cette compassion de Dieu par le tou-cher[10], par le baiser[11]. Bien souvent, notre culture a tendance à nous faire refuser cette approche du malade (le soignant doit rester distant, faire fi de ses sentiments...) alors que ces gestes peuvent devenir des lieux où Dieu se dit. Ne pouvons-nous pas découvrir ici une invitation à aller au-delà du discours comme lieu de vérité ? Ce sont parfois – voire même souvent – les attitudes qui sont les véritables révélateurs de ce que l'on sait, de ce que l'on vit. En ce sens, elles peuvent devenir de réels lieux théologiques.

Un autre élément digne d'être mis en évidence réside dans la place reconnue à la vulnérabilité. Si cette question a été admirablement traitée par François Varillon[12], elle est encore trop souvent considérée comme un lieu de faiblesse chrétienne, et donc d'une foi faible, non adulte. Une telle conception est certainement héritière d'une vieille tradition chrétienne. Qu'il nous suffise de relire certaines exhortations faites jadis aux jeunes dans ce portrait du chrétien idéal : « C'est une personne qui s'étudie à renoncer à toutes choses ; qui se fait violence pour ravir le Ciel ; qui porte sa croix tous les jours, et qui s'attache fidèlement à suivre Jésus-Christ. C'est une personne morte et ensevelie en Jésus-

Christ, indifférente et insensible à toutes choses de ce monde, qui en use comme si elle n'en usait point ; qui est toujours prête à le quitter avec plaisir ; qui méprise cette vie, et qui regarde la mort comme un gain et un avantage. »[13]. Une telle description de l'idéal chrétien est peu à même de laisser place à l'angoisse, à la peur, au questionnement devant la mort, alors que ces sentiments sont des éléments charnières, non seulement à respecter mais également à encourager pour qu'ils puissent « être dits ». Par rapport à cela, une contemplation du mystère de l'Incarnation offre de redonner un statut christologique à cette vulnérabilité. Si le Christ est vrai homme et vrai Dieu, pourquoi aurait-il échappé à ces états d'âme, à cette perception de l'existence que connaît tout homme ? Ne trouve-t-on pas dans l'Évangile certains passages où, devant la mort prochaine, cette vulnérabilité a sa place : « Mon âme est triste à en mourir » (Mt 26,38) ; « Père, s'il ne peut passer ce calice » (Lc 22,31) ; Jésus pleura devant son ami Lazare mort. Si on peut supposer que le Christ a dépassé ce que nous pourrions appeler des épisodes dépressifs, il les a cependant vécus. Dès lors, pourquoi le chrétien devrait-il être un surhom-me, particulièrement dans ses der-niers jours ? Pourquoi ne pourrait-il pas, lui aussi, vivre le déni ? Cette perception devrait également avoir des répercussions bien concrètes sur notre attitude de soignants : de quel droit exigerions-nous d'autrui une foi sans faille ? Pareille question trouve aussi sa pertinence à l'égard de la famille éprouvant de la culpa-bilité envers son proche « qui a mal vécu ses derniers instants », tout cela parce qu'il n'a pas répondu à ce qu'on attendait de lui. Or, il nous faut être honnêtes avec la foi chré-tienne : si elle peut aider en de tels instants en les traversant d'un sens toujours possible (comme nous le verrons plus loin, une place pour l'Espérance), elle n'est cependant jamais de l'ordre de la recette, elle n'est pas un antidépressif auto-matique.

Enfin, cette question de la vulné-rabilité peut rejoindre le vécu de l'équipe soignante. L'équipe peut devenir ce lieu où la vulnérabilité se vit en vérité, tout comme nous l'avions déjà souligné à propos de la compassion. Notre vulnérabilité de soignant ne peut-elle pas égale-ment révéler cette compassion qu'a Dieu pour l'homme, et la reconnais-sance de cette vulnérabilité en Jésus-Christ ne peut-elle pas aussi être de nature à déculpabiliser la nôtre ? Ceci est essentiel si nous voulons nous détacher de certains refoule-ments spontanés (peur de parler de la mort, peur de nos questions et, de ce fait, de celles du patient) et pou-voir entendre aussi ce que le mala-de souhaite nous communiquer.

c. Les soins palliatifs : vers une autre conception de la mort

Nous avons déjà eu l'occasion de nous en rendre compte implicitement : les quelques éléments revalorisés d'une théologie de l'Incarnation sont en mesure de nous conduire vers une autre appréhension de la mort et vers d'autres accentuations théologiques. Tout d'abord, une certaine tradition d'approche volon-tariste et chrétienne de la souffrance et de la mort se trouve remise en cause ; ce sont ces discours peut-être entendus dans certaines unités de soins : « Ce n'est qu'un mauvais cap à passer. Jésus a bien souffert, soyez courageux. » De plus, une autre évidence se trouve peu à peu remise en cause : « ceux qui ont la foi meurent mieux que les autres. » Si ce type de discours sont de nature à aider certains patients –

il ne faudrait pas nier que certains peuvent le vivre de la sorte – ils apparaissent, tant par l'approche réelle des malades que dans la conviction des soignants, comme des conceptions irrespectueuses du malade lorsqu'ils sont imposés de l'extérieur (que ce soit par la famille ou par les soignants). Nous pouvons rejoindre ici ce qui a été dit de la vulnérabilité comme lieu christologique, donc comme apport positif.

Toutefois, si nous voulons faire un pas de plus, ne peut-on pas dire que les soins palliatifs nous permettent surtout, comme volonté d'une prise en charge globale du malade, de faire de cette mort « un lieu de vie » ? En effet, nous avons pu nous rendre compte de ce désir de ne pas nier systématiquement l'émergence de la mort possible, que ce soit par l'écoute, par le respect des mécanismes psychologiques, ni de lui imposer un sens que le malade est incapable de vivre, d'assumer personnellement. Un tel constat a son importance d'un point de vue théologique, spécialement pour une théologie de la croix. Longtemps considérée comme un « fatum », un poids à accepter en offrande sans autre alternative, la mort se trouve aujourd'hui rendue à l'homme. La souffrance n'est plus un lieu nécessaire, puisqu'elle est évitée, combattue afin de rendre au malade une certaine lucidité, une possibilité de relation. La mort redevient un lieu possible pour un choix, pour une préparation, et donc pour un sens possible. Si la théologie chrétienne a autrefois vu davantage dans la mort la seule théologie de la croix, les soins palliatifs sont peut-être en mesure de réintégrer la mort dans l'événement pascal envisagé dans son ensemble en tant que passion-mort-résurrection, alors que la tentation serait d'en isoler un élément, quel qu'il soit, comme significatif. Les soins palliatifs ne permettent-ils pas au malade, en lui rendant une certaine lucidité, de traverser ce qu'il doit vivre d'un sens possible, autrement dit, d'un point de vue théologique, d'une lueur d'Espérance ?

Enfin, dans ce contexte de préparation à la mort prochaine, nous aimerions insister sur la notion de cheminement. L'équipe soignante se doit de respecter le malade dans son propre chemin, dans le sens qu'il veut accorder à ses derniers moments. Si la mort peut être traversée par l'événement pascal comme passion-mort-résurrection, l'équipe soignante se doit d'accepter que le malade ne vive qu'un des termes : passion (le déni, l'angoisse, la peur), mort, résurrection (cette impression que tout va pour le mieux, qui nous est parfois intolérable). De plus, le soignant, tout comme les premiers chrétiens, peut éprouver bien des difficultés à voir dans la croix, la mort de l'autre, un lieu de sens possible, une non-fin.

d. Les soins palliatifs : vers une théologie de l'Espérance

Si l'approche de la mort peut être traversée par d'autres accents théologiques, une théologie de l'Espérance devient pensable, et ce, sur plusieurs plans. En effet, par leur passage entre « to cure » et « to care », les soins palliatifs attestent d'un « toujours possible », même s'il est d'un autre ordre que le strictement médical et, en même temps, ils témoignent d'une prise en charge plurielle de l'être humain avec tout ce qu'il comporte.

Si théologie de l'Espérance il y a, elle serait d'abord à considérer dans la notion de cheminement. Nous savons en effet qu'on ne joue ni sa vie ni sa mort en un jour, que le malade et l'équipe soignante passent par des étapes bien diverses au cours

de leurs relations mutuelles. Il est dès lors essentiel de ne jamais enfermer l'autre dans du définitif, de croire qu'un changement reste toujours de l'ordre du possible : par exemple de ne pas l'enfermer dans son déni, dans ce que nous pourrions considérer comme du non-sens, refuser soi-même de se laisser enfermer dans ses propres peurs. Et c'est ici que nous pourrions resituer la question de la vérité laissée en suspens. Elle pourrait rester comme un horizon toujours en mémoire, comme une toile à tisser, espérant que le malade pourra participer à son propre métier, le rôle du soignant étant peut-être seulement de fournir les matériaux nécessaires à l'ouvrage. Et cela suppose de notre part une certaine « foi » en la capacité du malade à vivre ce chemin.

Les soins palliatifs laissent également une place à une théologie de l'Espérance en ce sens qu'ils modifient l'échec par participation. S'il ne faut pas être naïf, car la mort reste presque toujours un échec, une atténuation de ce dernier peut se dessiner dans l'engagement qu'on y apporte, par l'aide que l'équipe peut offrir. Par ce qui est vécu comme projet au sein d'un service de soins palliatifs, il y a un « projet pour la mort de l'autre » dans le refus de lui laisser son caractère d'inhumanité (souffrance, isolement, non-communication). Ainsi, si le Christ a voulu tout au long de sa vie remettre l'homme debout en cheminant avec lui dans des situations bien diverses, témoignant ainsi d'un Dieu voulant donner sens à la vie humaine, des membres d'une équipe soignante peuvent devenir, à leur tour, des témoins d'un même projet.

Enfin, c'est dans ce même contexte que l'on pourrait situer un élément qui surprend encore, la notion de plaisir dans le travail. À première vue, c'est assez déroutant de parler de la sorte ; il conviendrait mieux de parler de « dévouement » lorsqu'il s'agit de soigner des mourants potentiels. Or, certains soignants parlent de plaisir. Quel statut christologique pourrait-on donner à ce plaisir éprouvé en face du vieillissement, de la souffrance, de la mort ? C'est encore l'événement pascal envisagé dans son ensemble qui peut nous ouvrir une voie de compréhension. S'il comporte la mort, il est aussi signe de résurrection. Dans cette logique, il peut y avoir du plaisir à croire en un possible pour l'autre et à y participer, il peut y

avoir du plaisir à croire en la dimension intersubjective du soin. Ici encore, il nous faut dépasser certaines données, fussent-elles inconscientes, d'une souffrance nécessaire et d'une compassion pénible pour que cette dimension soit véritable. Si la souffrance peut trouver une légitimation théologique, elle n'en est pas pour autant un mal nécessaire ! En fait, cette notion de plaisir, au-delà de la satisfaction d'un travail bien fait, peut être le signe d'un dépassement de cette vision immédiate et réductrice de l'homme souffrant, malade, comme s'il devait s'y réduire. Elle peut témoigner de cette prise en compte de ce qu'est l'homme en profondeur : un être relationnel, toujours digne d'être rencontré et aimé ! Ceci constitue peut-être le sommet d'une théologie de l'Espérance.

e. Quelques prolongements pastoraux

Les quelques développements que nous venons de faire ont été une invitation à repenser certaines catégories théologiques relatives à l'approche de l'humain, de sa mort. Nous voudrions articuler cette relecture théologique en montrant qu'elle n'est pas sans répercussions sur une théologie pastorale, autrement dit sur une manière de penser l'accompagnement pastoral, spirituel des personnes souffrantes.

Nous avons tout d'abord parlé de la compassion dans le cadre d'une théologie de l'Incarnation. Or, pour compatir, il faut connaître. Ceci veut dire qu'une insertion réelle dans ce type de service est primordiale pour rendre possible un accompagnement : « respecter l'autre, c'est apprendre à le comprendre ; pour ce, il faut se donner des moyens, la bonne volonté ne suffit pas toujours ». Une telle constatation est une invitation à vivre un accompagnement spirituel dans la cohérence, non en situation d'extériorité comme le serait un service passager. Si une telle exigence ne peut être satisfaite, pour bien des motifs, par une équipe d'aumônerie, cela impliquerait que cette dimension de l'accompagnement serait prise en charge par l'équipe soignante. Une piste de réflexion serait celle des « besoins ». Si le travail infirmier tente de répondre aux besoins du malade, pourquoi le spirituel ne pourrait-il pas lui aussi être envisagé ?

Nous pourrions prolonger notre réflexion sur cette notion de besoin spirituel. Nous avons tendance à le considérer comme une évidence que le malade devrait nécessairement partager. En même temps, nous connaissons la place du déni, les notions de cheminement et de choix possibles. Dans cette mouvance, il est important de comprendre l'accompagnement spirituel dans le registre de la proposition, même si, légitimement, nous aimerions parfois que le malade découvre des valeurs qui nous font vivre. En ce sens, l'accompagnement spirituel relève bien, lui aussi, d'une théologie de l'Espérance, d'un toujours possible, non d'une obligation.

Enfin, les quelques développements relatifs à une théologie de l'Incarnation restent ici pertinents. Si la solidarité est apparue comme un lieu christologique, elle trouvera son enracinement privilégié dans le travail en équipe, qu'elle soit soignante ou d'aumônerie, et l'accompagnement spirituel relèvera davantage du témoignage que du discours. En effet, comment être témoin d'un Dieu qui s'intéresse à l'humain et qui soulage si, par des actes, des paroles, on devient un poids pour le malade ? De plus, si le « spirituel » comme image vivante de Dieu passe par des actes, il est réellement en mesure de concerner directement tous ceux qui approchent le malade, et pas seulement ceux que l'on aurait trop facilement tendance à qualifier de « spécialistes » du spirituel. Ainsi, si les actes des soignants peuvent devenir un lieu de cette présence de Dieu, le rôle de l'aumônier serait peut-être à redécouvrir : l'accompagnement spirituel serait alors un lieu d'exégèse partagée, c'est-à-dire aider le malade à percevoir que Dieu est réellement présent dans celles et ceux qui l'entourent. Une telle vision comporterait plusieurs avantages. Tout d'abord, elle permettrait de sortir l'aumônier du seul sacramentaire. Elle permettrait, de plus, de répondre davantage à cette question cruciale du malade : « Dieu s'est-il désintéressé de moi ? », s'il est vrai que Dieu peut se révéler dans l'attitude des soignants.

Conclusions

Nous espérons avoir pu montrer comment la genèse et le développement des soins palliatifs avaient pu et peuvent encore concourir au développement d'une philosophie du soin, cette dernière pouvant également être appréhendée par un regard de foi. Cependant, au terme de ce parcours et par souci d'objectivité, nous voudrions, sans prendre pour autant le risque de nous renier,

soulever certaines limites encore présentes dans cette pratique si riche du soin, mais qui nous invitent conjointement à laisser ouvert le questionnement.

Tout d'abord, il nous semble important de reconnaître que ce type de soins est encore objet de résistances dans une société et une certaine médecine qui nient la mort non maîtrisée, la mort et la violence qu'elle impose à tout homme : il ne suffit pas qu'une unité ou une équipe mobile de soins palliatifs existe pour que des médecins leur adressent des patients en fin de vie. De plus, il nous faut également prendre en compte le coût et le manque de moyens accordés à ce type de soins, tant dans leur dimension hospitalière qu'à domicile ; on peut encore regretter que seule une « élite » des malades puisse y avoir accès.

Une autre limite réside certes dans le caractère de situation extrême des patients qui requièrent dès lors des moyens permettant de répondre à des besoins extrêmes. S'il ne s'agit pas de remettre en question tout l'idéal proposé, on peut cependant constater qu'il n'est pas purement et simplement transposable en situation ordinaire de soins. Le malade n'éprouve pas toujours l'ensemble de tous les besoins, et les équipes ne sont pas toujours en situation conjoncturelle de temps et de moyens pour satisfaire tous ces besoins, surtout lorsqu'on sait la durée moyenne d'hospitalisation du patient.

Cependant, ce sont peut-être les limites générées par les soins palliatifs eux-mêmes qui mériteront ici toute notre attention. Tout d'abord, le risque est qu'ils se développent en « spécialistes » de la mort, comme si cette dernière ne pouvait être humainement rencontrée que dans pareilles structures. Ils produiraient ainsi l'effet contraire à celui qui est poursuivi, et les unités non spécialisées seraient incapables de rencontrer une personne en fin de vie et de l'accompagner. Or, certains discours extrêmes dans leur dimension « prophétique » risquent parfois d'induire pareille conviction : « Nous sommes les seuls à pouvoir bien faire ! »

Une autre limite pourrait résider dans ce qu'on appellerait « une récupération » de la mort et de la mort « douce ». Certains discours semblent en effet présupposer que mourir est devenu facile quand on est accompagné, pris en charge d'une manière globale. Or, la mort reste une aven-

ture à vivre seul, dans son altérité et toute son incertitude. Même si les soins palliatifs contribuent à redonner à la mort une dimension humaine et sociale, cette dernière reste à vivre dans une relative solitude ; on ne peut pas tout projeter sur la mort de l'autre.

On pourrait également mettre au jour comme un désir de clôture d'une part du questionnement éthique relatif à la mort, comme si la seule existence des soins palliatifs rendait vaine toute réflexion relative à l'acharnement thérapeutique et à l'euthanasie au cœur de la médecine contemporaine. Même au sein des unités de soins palliatifs, ces questions peuvent rester présentes et continuent d'interpeller les praticiens. De plus, lorsqu'on considère la diversité des situations de soins au cœur desquelles émerge ce type de question, ce ne sont pas les unités de soins palliatifs qui pourront répondre à l'ensemble du questionnement.

Enfin, et ce sera notre conclusion, il reste important de redire qu'accompagner des personnes en situation de fin de vie et les soigner continue à relever d'un difficile défi, même dans des unités spécialisées. Qui peut s'habituer à la mort ?

Soigner jusqu'au bout, soulager la douleur, rendre une fin plus acceptable par des soins appropriés ne donne pas à la mort une image plus avenante. « Mourir et voir mourir » reste difficile, car cela nous renvoie sans cesse à des questions existentielles que nous ne pouvons laisser ouvertes chaque jour.

1. B. Matray, Les soins palliatifs : approche éthique, *Laennec*, octobre 1995, p. 7.

2. B. Matray, *op. cit.*, p. 7.

3. B. Matray, *op. cit.*, p. 8.

4. B. Matray, *op. cit.*, p. 10.

5. Nous nous permettons de renvoyer ici à : B. Cadoré, *Méthodologie en éthique clinique*, Namur, Esphi n° 10, 1996, Facultés Universitaires Notre-Dame de la Paix, 29 p.

6. D. Jacquemin – P. Boitte, La mort dans la société et la médecine contemporaine : pour appréhender la problématique de l'euthanasie, *Lumière & Vie*, n° 238, p. 7-18.

7. C'est-à-dire en tenant compte des grands domaines de la foi telle qu'elle est enseignée par l'Église (création, incarnation, résurrection, visage de Dieu).

8. Nous pouvons nous référer ici aux récits de création (Gn 2 et 3) où ce « désir » de Dieu pour l'homme se trouve explicite : il donne à l'homme un monde à habiter, un monde qu'il veut luxurieux. L'homme s'y trouve décrit non comme un objet mais comme sujet relationnel (Gn 2,18).

9. En ce qui concerne la participation du Christ aux souffrances de l'humain, on pourrait réaliser de nombreux prolongements au sujet d'une théologie de la croix.

10. Jésus touche les yeux des deux aveugles (Mt 20, 34 ; Mc 1, 42)- Jésus étend la main et touche le lépreux (Lc 5, 13)- Jésus touche la langue du muet avec de la salive (Mc 7, 33)- On amène à Jésus des petits enfants pour qu'il les touche (Mt 19, 13).

11. Jésus prend un enfant dans ses bras et l'embrasse (Mt 18, 2-3 ; Lc 9, 47-48)- Le Père embrasse le fils prodigue (Lc 15, 20)- Jésus fait le reproche à Simon de ne pas lui avoir donné de baiser alors que ce fut le cas de la pécheresse (Lc 7, 48).

12. F. Varillon, *L'humilité de Dieu*, Paris, le Centurion, 1974, 160 p. ainsi que F. Varillon, *La souffrance de Dieu*, Paris, le Centurion, 1975, 115 p.

13. Le portrait d'un parfait chrétien, § IX, dans A.P. de Grammont, archevêque de Besançon, *Instructions chrétiennes pour les jeunes gens*, Tournai, Casterman, 1740, p. 359.

D i r e c t i v e s   a u x   a u t e u r s

Les articles doivent respecter la politique éditoriale des Cahiers.

Les opinions émises dans les articles n'engagent que leurs auteurs.

Tous les textes sont soumis à l'attention d'un Comité de lecture.
La décision finale de publication revient au Comité éditorial.

À la suite des recommandations du Comité de lecture,
des modifications pourraient être demandées à l'auteur.

L'auteur accepte que la présentation finale du texte et la mise en page
relèvent uniquement de l'éditeur.

Le contenu doit être intégral.

Normes de présentation :

- nous fournir une disquette avec une sortie papier ;

- indiquer le type de traitement de texte sur lequel vous travaillez
  (ex. : Word, Word Perfect,) en l'inscrivant sur votre disquette ;

- ne mettez pas de code pour indiquer les niveaux de titre, les soulignés,
  l'italique, etc.
  À titre d'exemple, si vous désirez de l'italique, soulignez simplement
  votre texte ;

- gardez à l'esprit que votre texte sera traité en composition typographique,
  ce qui donnera des épreuves, lesquelles seront corrigées par l'éditeur.
  Vous en recevrez également une copie pour votre propre vérification ;

- afin de respecter le nombre de pages initialement prévu
  pour cette publication, respectez attentivement le gabarit
  qui vous est soumis.

Caractéristiques du gabarit :

- entre 77 et 80 frappes par ligne
  (les espaces entre les caractères sont incluses) ;

- entre 27 et 33 lignes par page.

BASF Pharma

*Nous remercions
la compagnie Knoll
pour sa contribution financière*

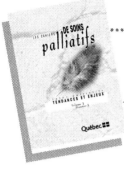

Déjà paru en septembre 1999

Les Cahiers de soins palliatifs

volume 1 numéro 1

Thématique
Tendances et enjeux

Á paraître en octobre 2000

Les Cahiers de soins palliatifs

volume 2 numéro 1

Thématique
Les proches

Achevé d'imprimer en mai 2000
sur docutech
aux Copies de la Capitale
à Québec